le premier livre en réalité augmentée !

Avec ton **ordinateur** et ta **webcam**, tu vas pouvoir animer des pages de ce livre **en 3D** sur ton ordinateur, et même **jouer** avec !

Télécharge d'abord le logiciel de réalité augmentée sur le site :

www.dokeo-realiteaugmentee.com

Vérifie que tu as bien le matériel requis pour utiliser le programme.

1 Branche ta **webcam** sur l'ordinateur et lance le **logiciel de réalité augmentée**.

2 Présente les pages signalées par ce **picto** à la webcam.

3 À l'écran, l'**objet jaillit de la page en 3D et s'anime !** Des consignes t'indiquent les touches du clavier qu'il faut actionner.

N'hésite pas à rapprocher la webcam du livre pour **voir l'objet de plus près** ou à changer d'angle de vue pour **l'observer sous toutes ses coutures** !

Si tu veux savoir comment marche la réalité augmentée, reporte-toi à la fiche **32** : tout est expliqué !

COMPRENDRE COMMENT ÇA MARCHE !

Les animations en réalité augmentée ont été développées
par **TOTAL IMMERSION** d'après les illustrations du livre.

AUGMENTED BY
TOTAL IMMERSION

La fiche ordinateur **20** a été réalisée en partenariat avec **HP France**
et la fiche train **103** en partenariat avec **Alstom**.

Photos de la couverture,
du plat 4 et de la garde :
Frédéric Hanoteau

Relecture scientifique :
Nathalie Magneron

Photogravure :
Axiome

COMPRENDRE COMMENT ÇA MARCHE !

Textes de **Joël Lebeaume**
et **Clément Lebeaume**

Illustrations de **Didier Balicevic**, **Grégory Blot**,
Buster Bone, **Bruno Liance**,
Jazzi et **Tino** ·

Nathan

Les fiches sur **fond blanc** sont consacrées à un **objet** ou une **famille d'objets**.

numéro de fiche

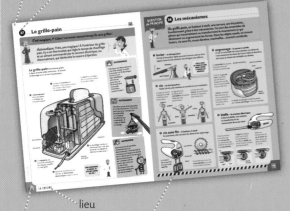

chapitre

lieu

Les fiches ou encadrés sur **fond vert** sont dédiés aux **grands principes scientifiques** ou **techniques**.

Ce **pictogramme** signale une animation en réalité augmentée.

Les **numéros** renvoient vers d'autres fiches qui présentent une parenté technique ou thématique.

3 renvoi fiche principe

Un **lexique**, à la fin du livre, explique les mots compliqués.

LA MAISON

40 fiche objet

 **3** fiche principe

 encadré principe

 réalité augmentée

LA VILLE

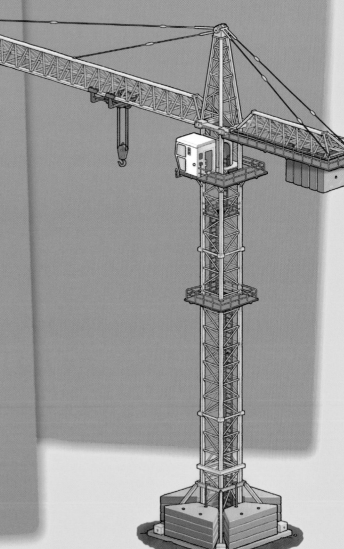

LES LOISIRS

SOMMAIRE

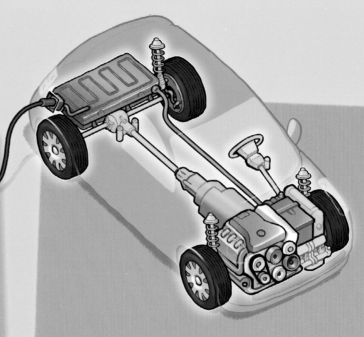

LES TRANSPORTS

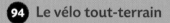 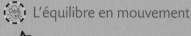

SOMMAIRE ALPHABÉTIQUE

chapitre 1

LA

MAISON

Dans cette maison, qui s'occupe d'allumer les lampes ou d'ouvrir les volets ?

Un ordinateur, Julia ! Grâce à la domotique, on peut contrôler tous les appareils électriques de la maison : portail, stores, radiateurs, lampes, télévisions... et de façon complètement automatique !

L'**alarme** protège la maison et, en cas d'intrusion, adresse un SMS ou un e-mail à la société de sécurité. Grâce aux images des caméras envoyées sur Internet, la maison est surveillée à distance.

Le **garage** s'ouvre tout seul, dès que la voiture approche, et se referme automatiquement.

L'**arrosage** du jardin se déclenche tout seul, la nuit, selon l'humidité de la terre détectée par les capteurs dans le sol.

LA MAISON EST PILOTÉE PAR ORDINATEUR, MAIS OBÉIT D'ABORD À SES HABITANTS !

Grâce aux **écrans tactiles**, disposés un peu partout dans la maison, on peut tout commander et contrôler.

Le **chauffage** est programmé en fonction de l'heure et de la température. On le met en route à distance par téléphone ou par Internet pour que la maison soit à la bonne température à son retour.

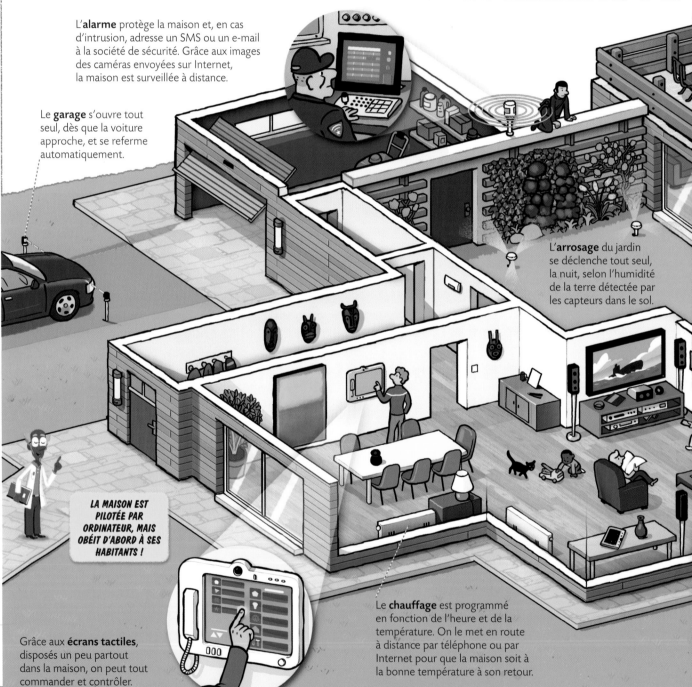

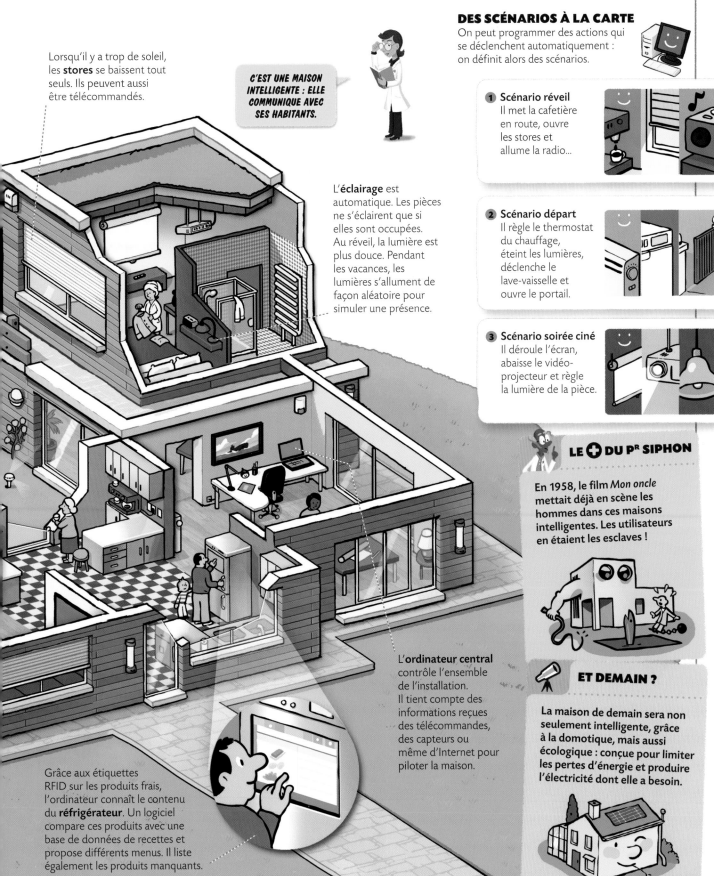

Lorsqu'il y a trop de soleil, les **stores** se baissent tout seuls. Ils peuvent aussi être télécommandés.

C'EST UNE MAISON INTELLIGENTE : ELLE COMMUNIQUE AVEC SES HABITANTS.

L'**éclairage** est automatique. Les pièces ne s'éclairent que si elles sont occupées. Au réveil, la lumière est plus douce. Pendant les vacances, les lumières s'allument de façon aléatoire pour simuler une présence.

DES SCÉNARIOS À LA CARTE

On peut programmer des actions qui se déclenchent automatiquement : on définit alors des scénarios.

1 Scénario réveil
Il met la cafetière en route, ouvre les stores et allume la radio...

2 Scénario départ
Il règle le thermostat du chauffage, éteint les lumières, déclenche le lave-vaisselle et ouvre le portail.

3 Scénario soirée ciné
Il déroule l'écran, abaisse le vidéo-projecteur et règle la lumière de la pièce.

LE ✚ DU Pr SIPHON

En 1958, le film *Mon oncle* mettait déjà en scène les hommes dans ces maisons intelligentes. Les utilisateurs en étaient les esclaves !

ET DEMAIN ?

La maison de demain sera non seulement intelligente, grâce à la domotique, mais aussi écologique : conçue pour limiter les pertes d'énergie et produire l'électricité dont elle a besoin.

L'**ordinateur central** contrôle l'ensemble de l'installation. Il tient compte des informations reçues des télécommandes, des capteurs ou même d'Internet pour piloter la maison.

Grâce aux étiquettes RFID sur les produits frais, l'ordinateur connaît le contenu du **réfrigérateur**. Un logiciel compare ces produits avec une base de données de recettes et propose différents menus. Il liste également les produits manquants.

Le portail automatique

Les portes s'ouvrent et se ferment toutes seules ! C'est quoi le truc, Pr Colza ?

L'ouverture et la fermeture ne se font pas vraiment toutes seules, Théo ! C'est un automate qui s'en charge. Grâce au programme qu'il a en mémoire, il réagit au quart de tour à l'ordre de la télécommande.

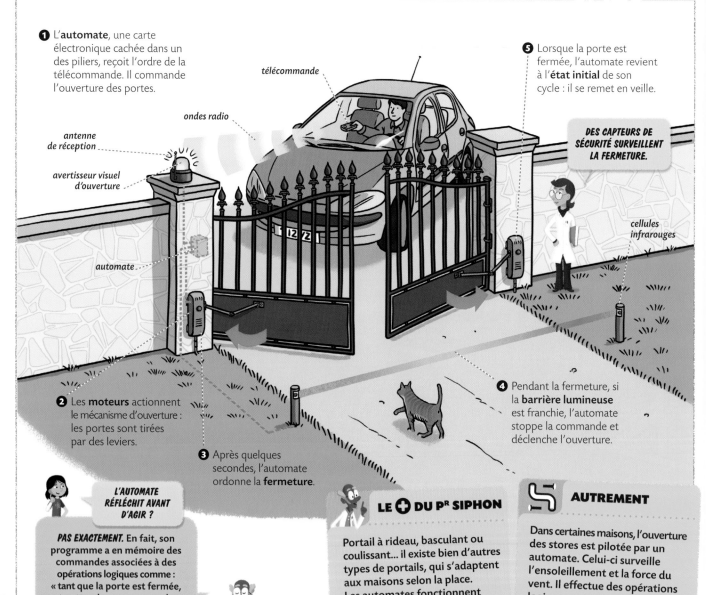

❶ L'**automate**, une carte électronique cachée dans un des piliers, reçoit l'ordre de la télécommande. Il commande l'ouverture des portes.

❺ Lorsque la porte est fermée, l'automate revient à l'**état initial** de son cycle : il se remet en veille.

télécommande

ondes radio

antenne de réception

avertisseur visuel d'ouverture

automate

DES CAPTEURS DE SÉCURITÉ SURVEILLENT LA FERMETURE.

cellules infrarouges

❷ Les **moteurs** actionnent le mécanisme d'ouverture : les portes sont tirées par des leviers.

❸ Après quelques secondes, l'automate ordonne la **fermeture**.

❹ Pendant la fermeture, si la **barrière lumineuse** est franchie, l'automate stoppe la commande et déclenche l'ouverture.

L'AUTOMATE RÉFLÉCHIT AVANT D'AGIR ?

PAS EXACTEMENT. En fait, son programme a en mémoire des commandes associées à des opérations logiques comme : « tant que la porte est fermée, tu attends une commande d'ouverture » ; ou bien : « si le rayon lumineux est franchi pendant la fermeture, alors tu déclenches l'ouverture ». Son intelligence se limite à l'application des règles prévues.

LE ➕ DU Pr SIPHON

Portail à rideau, basculant ou coulissant... il existe bien d'autres types de portails, qui s'adaptent aux maisons selon la place. Les automates fonctionnent de la même façon. Seuls les mécanismes d'ouverture varient.

AUTREMENT

Dans certaines maisons, l'ouverture des stores est pilotée par un automate. Celui-ci surveille l'ensoleillement et la force du vent. Il effectue des opérations logiques comme : « s'il y a du soleil et si le vent est faible, alors le store s'ouvre » ; « s'il y a du soleil et si le vent est fort, alors le store se ferme ».

3 Les automatismes

Tout automatisme est formé de trois éléments essentiels : un dispositif de commande, des capteurs et des actionneurs. L'ordinateur reçoit les informations des capteurs, les traite et commande l'action des moteurs, des lampes... C'est comme le cerveau qui reçoit les informations de la peau, de l'œil... et commande les muscles du corps.

❶ robot industriel

Ces trois robots alignés mettent en boîte des chocolats. Chaque robot intervient sur une rangée. Leur bras articulé leur permet d'atteindre chaque chocolat du tapis roulant, de l'aspirer et de le déposer dans une alvéole vide d'une des boîtes posées sur un autre tapis roulant.

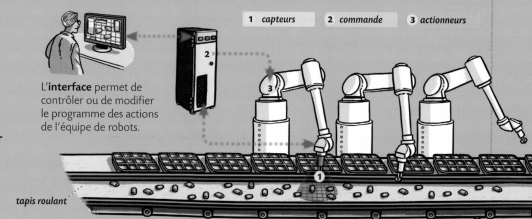

L'**interface** permet de contrôler ou de modifier le programme des actions de l'équipe de robots.

1 capteurs **2** commande **3** actionneurs

tapis roulant

CETTE ÉQUIPE TRAVAILLE 24 HEURES SUR 24 ET REMPLIT VINGT BOÎTES À LA MINUTE.

1 Les robots sont équipés de **caméras (capteurs)** qui filment le déplacement des chocolats.

2 L'**ordinateur** analyse ces images : pour chaque robot, il calcule la trajectoire optimale pour atteindre le chocolat sur le tapis roulant.

3 L'ordinateur commande les **moteurs** de chacun des trois robots dont les bras décrivent la trajectoire indiquée par l'ordinateur.

❷ machine à laver

Elle est entièrement automatisée. Il suffit de la charger et de sélectionner le programme.

1 Les différents **capteurs** contrôlent si la porte est ouverte ou fermée, s'il y a beaucoup ou peu de linge...

2 Le **programmateur** permet de choisir un des programmes de lavage en mémoire. Chacun est une suite d'instructions.

3 Au fil du cycle de lavage, la **pompe**, la **résistance** et le **moteur** qui fait tourner la cuve sont mis en service ou arrêtés.

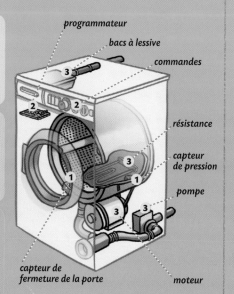

programmateur
bacs à lessive
commandes
résistance
capteur de pression
pompe
capteur de fermeture de la porte
moteur

❸ éclairage automatique

Il se met en route à deux conditions : qu'il fasse nuit et qu'une personne soit détectée.

1 Le **capteur** détecte la présence de quelqu'un la nuit. Il envoie une information au dispositif de commande.

2 Le **dispositif de commande électronique** allume la lampe et déclenche la minuterie.

3 La **lampe** éclaire selon la durée programmée.

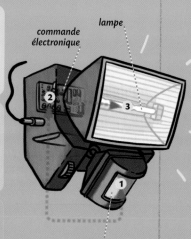

commande électronique
lampe
capteur

4 L'électricité

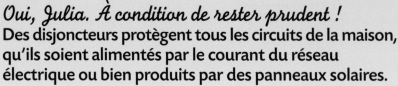

L'électricité, c'est dangereux ! Est-ce qu'on est bien protégé, Pr Siphon ?

Oui, Julia. À condition de rester prudent !
Des disjoncteurs protègent tous les circuits de la maison, qu'ils soient alimentés par le courant du réseau électrique ou bien produits par des panneaux solaires.

❶ réseau électrique

Le courant électrique provient des centrales situées à des centaines de kilomètres. Réparti pour les différents usages et distribué dans les villes, il arrive au compteur.

❷ Pour chaque réseau, des **postes de répartition** distribuent le courant en différentes lignes électriques.

❶ À la sortie de la **centrale électrique**, la tension est très haute : 400 000 volts.

❹ Les **lignes** transportent le courant vers les différents usagers.

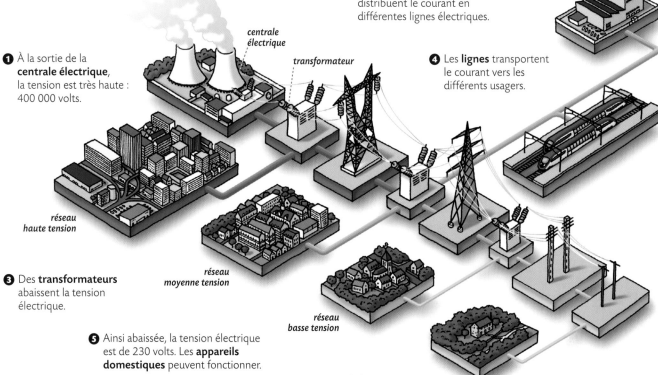

centrale électrique

transformateur

réseau haute tension

réseau moyenne tension

réseau basse tension

❸ Des **transformateurs** abaissent la tension électrique.

❺ Ainsi abaissée, la tension électrique est de 230 volts. Les **appareils domestiques** peuvent fonctionner.

❷ panneau solaire

Un panneau solaire (ou photovoltaïque) est constitué d'une multitude de cellules solaires qui transforment l'énergie lumineuse en énergie électrique.

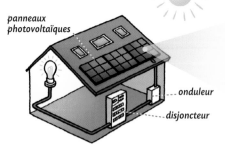

panneaux photovoltaïques

onduleur

disjoncteur

Les **panneaux photovoltaïques** sont reliés à un **onduleur** qui modifie le courant électrique, puis au tableau électrique.

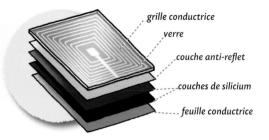

grille conductrice
verre
couche anti-reflet
couches de silicium
feuille conductrice

La lumière atteint les **couches de silicium**. L'énergie de la lumière captée par les électrons du silicium engendre un courant électrique qui circule de la grille à la feuille conductrice.

LA MAISON

L'ENTRÉE

❸ installation électrique

L'électricité est répartie en différents circuits pour l'éclairage, les prises de courant, le chauffe-eau...

À chaque instant, le **compteur** calcule la consommation des appareils en fonctionnement.

Trois fils arrivent au **tableau électrique** : les deux fils du courant électrique et le fil de terre relié à un piquet, enfoncé dans la terre.

La maison est reliée au **réseau basse tension**. Le courant arrive par deux fils : la phase et le neutre.

fils électriques

- terre
- phase
- neutre
- navette

interrupteur va-et-vient

interrupteur va-et-vient

tableau électrique

fil de terre

Dans un **interrupteur**, un seul des fils est branché en permanence : le circuit d'allumage est coupé.

Le **disjoncteur central** est un interrupteur. En cas de court-circuit, il se coupe automatiquement.

Un **disjoncteur** ou un fusible protège chaque circuit. En cas de surchauffe, un filament fond et le circuit est coupé.

LE VA-ET-VIENT

Grâce au va-et-vient, on peut commander la lampe des deux extrémités de la pièce !

❶ Lampe allumée
Le premier fil arrive à la lampe. L'autre passe par les interrupteurs qui ferment le circuit.

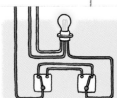

❷ Lampe éteinte
L'action sur l'un ou l'autre des interrupteurs ouvre le circuit : la lampe n'est plus alimentée.

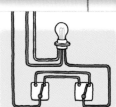

❸ Lampe allumée
Inversement, l'action sur l'un ou l'autre des interrupteurs ferme le circuit : la lampe est alimentée.

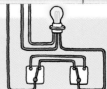

À QUOI SERT LE FIL DE TERRE, Dr COLZA ?

C'EST UNE PROTECTION contre les électrocutions ! En cas de défaut d'un appareil, le courant passe directement par le fil de terre et non à travers le corps.

QUESTION de PRINCIPE

La conduction électrique

Les fils électriques sont en cuivre recouvert d'une gaine en matière plastique. Le cuivre est conducteur et la gaine isolante, du fait de leur structure atomique.

Dans le **fil électrique**, les atomes de cuivre sont ordonnés. Lorsqu'un fil est branché, un électron de chaque atome de cuivre se libère et se déplace. Le courant électrique correspond au déplacement des électrons.

électron
atome de cuivre
gaine

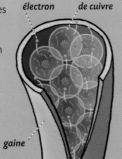

Dans les objets électroniques, les composants sont assemblés sur des **circuits imprimés**. Ce ne sont pas des fils mais des pistes de cuivre tracées sur un support isolant.

Pour miniaturiser les composants électroniques, on utilise des **nanofils** en carbone ou en or.

CES ASSEMBLAGES D'ATOMES SONT DIX MILLE FOIS PLUS FINS QU'UN CHEVEU.

Comment se fait-il que seule la bonne clé puisse ouvrir la serrure, Pr Siphon ?

Tout simplement parce que les découpes de la clé sont ajustées aux crochets de la serrure : une serrure et sa clé forment un couple unique ! La clé entraîne tout le mécanisme.

La clé, en tournant dans le cylindre, entraîne le déplacement du pêne. La porte est alors verrouillée ou déverrouillée.

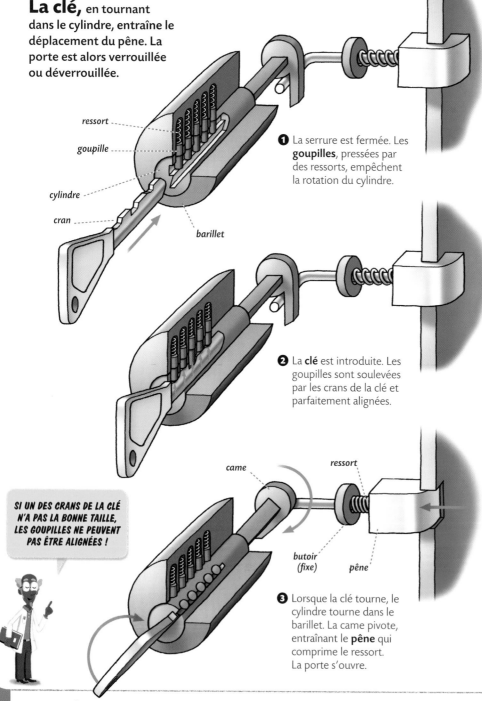

ressort
goupille
cylindre
cran
barillet

❶ La serrure est fermée. Les **goupilles**, pressées par des ressorts, empêchent la rotation du cylindre.

❷ La **clé** est introduite. Les goupilles sont soulevées par les crans de la clé et parfaitement alignées.

came
ressort
butoir (fixe)
pêne

SI UN DES CRANS DE LA CLÉ N'A PAS LA BONNE TAILLE, LES GOUPILLES NE PEUVENT PAS ÊTRE ALIGNÉES !

❸ Lorsque la clé tourne, le cylindre tourne dans le barillet. La came pivote, entraînant le **pêne** qui comprime le ressort. La porte s'ouvre.

AUTREMENT

La clé d'une serrure électronique, c'est l'empreinte digitale. Les nœuds et bifurcations de l'empreinte sont scannés. Cette image est comparée avec les **images** en mémoire.

DEVINETTE

Quelle est la différence entre la serrure d'une porte d'appartement et celle d'un four ?

La porte du four électrique comporte une serrure électromagnétique. Un électroaimant maintient le pêne fermé.

LE + DU Pr COLZA

Une serrure anti-crochetage comporte plusieurs pièces métalliques qui doivent être poussées en même temps. Seule la clé peut les dégager.

LA MAISON

L'ENTRÉE

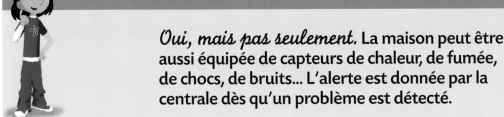

L'alarme se déclenche à l'ouverture d'une porte ou d'une fenêtre, Pʳ Colza ?

Oui, mais pas seulement. La maison peut être aussi équipée de capteurs de chaleur, de fumée, de chocs, de bruits... L'alerte est donnée par la centrale dès qu'un problème est détecté.

La centrale est le cerveau du système. Elle reçoit les informations de l'ensemble des capteurs de surveillance et déclenche l'alerte.

Un **clavier** ou une **télécommande** met en marche ou arrête le système.

centrale d'alarme

Le **transmetteur téléphonique** informe le propriétaire ou la société de surveillance.

Si l'un des capteurs détecte quelque chose, les **sirènes** intérieures ou extérieures se mettent à hurler.

Le **détecteur de bris de verre** capte les sons. Si un son correspond au bruit du verre qui se casse, qu'il sait reconnaître, l'alerte est donnée.

capteur led

particules de fumée

Un **détecteur de fumée** contient un capteur photoélectrique et une led. Si des particules de fumée pénètrent à l'intérieur, la lumière de la led est diffusée et éclaire le capteur. L'alarme se déclenche.

Lors d'un choc sur la vitre, la masselotte du **détecteur de chocs** se met à vibrer. Si la vibration est assez forte, un contact électrique est établi. L'alarme se déclenche.

lamelle de métal

aimant

Le **détecteur d'ouverture** est un interrupteur. Si la porte est ouverte, les deux lamelles ne sont plus en contact. L'alarme se déclenche.

détecteur de mouvements

Les **capteurs** sont reliés à la centrale par des ondes, grâce à des antennes, ou par des fils.

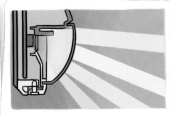

1 Le **détecteur de mouvements** capte la lumière infrarouge (invisible) émise par le corps chaud.

2 La pièce est découpée en plusieurs **zones**. Le capteur reçoit les rayonnements infrarouges.

3 S'il identifie de la **lumière infrarouge** dans plusieurs zones, nombre qui varie avec la distance, il déclenche l'alarme.

4 Un **chien** ne déclencherait pas l'alarme car il ne représente qu'une zone.

Comment les poussières sont-elles aspirées dans l'aspirateur, Pr Colza ?

C'est comme si tu aspirais des miettes avec une paille, Théo ! La turbine, un puissant ventilateur, pompe l'air du tuyau : l'air chargé des poussières s'engouffre alors dans l'aspirateur, les poussières sont piégées et l'air est expulsé.

❶ aspirateur à sac

Grâce aux filtres, l'air est débarrassé des poussières.

❶ Le **moteur** électrique fait tourner la turbine.

❷ Grâce à ses pales légèrement inclinées, la **turbine** crée un courant d'air.

❸ Le **suceur** aspire tout sur son passage.

moteur

sortie d'air

❻ L'**air** refroidit le moteur avant d'être expulsé.

❺ Un **filtre** stoppe les minuscules poussières.

❹ Le **sac en papier** microperforé laisse passer l'air mais retient les grosses poussières.

❷ aspirateur à cyclones

Les aspirateurs sans sac, inventés par Dyson, retiennent même les plus petites poussières.

❹ Les poussières plus petites, soumises à **de nouveaux tourbillons**, sont éjectées à leur tour.

❶ Les poussières sont entraînées par de **puissants tourbillons**.

❺ Plus les tourbillons sont rapides, plus l'**air rejeté** est propre.

❷ La **force centrifuge** sépare les plus grosses poussières de l'air.

❸ Celles-ci tombent dans un **collecteur**.

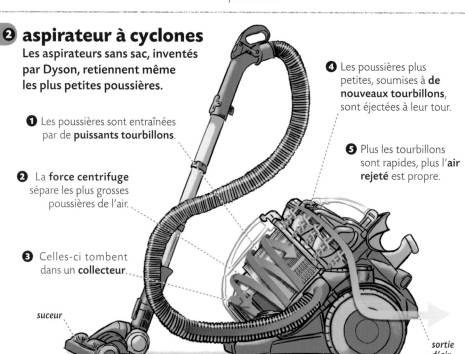

suceur

sortie d'air

ANECDOTE

Le premier aspirateur n'était pas électrique. À chaque pas, un soufflet aspirait l'air et la poussière tandis que l'autre expulsait l'air dans la pièce !

LE ➕ DU Pr SIPHON

Pour aspirer de l'eau, il faut un appareil spécial, mais le principe est le même. La turbine pompe l'air du réservoir et du tuyau. L'eau, qui est aspirée, remplit le réservoir sans jamais être en contact avec le moteur.

air expulsé

eau

eau sale aspirée

AUTREMENT

Le robot aspirateur est autonome ! Il se déplace tout seul, retrouve son chargeur lorsque sa batterie est faible et signale que son bac est plein. Grâce à l'écho des ultrasons qu'il émet, il parcourt la pièce en évitant les obstacles. Cet aspirateur est déjà en vente !

8 Les moteurs électriques

Un moteur électrique est une machine qui transforme l'énergie électrique en énergie mécanique. Son axe tourne et transmet son mouvement à la turbine d'un aspirateur, à l'hélice d'un ventilateur... Formé de bobines de fils électriques et d'aimants, le moteur fonctionne grâce aux phénomènes électromagnétiques. Il y a plusieurs types de moteurs.

❶ moteur avec aimant permanent

Dans un moteur de jouet, les pôles nord et sud de l'aimant produisent un champ magnétique. Dès qu'il est alimenté par une pile, le rotor tourne.

voiture radiocommandée
Le moteur de la voiture est relié aux roues par un engrenage. Pour la faire avancer ou reculer, il suffit d'inverser la pile. La télécommande actionne des inverseurs de courant.

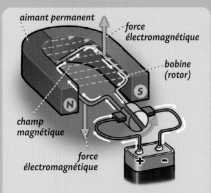

aimant permanent
force électromagnétique
bobine (rotor)
S
N
champ magnétique
force électromagnétique

La **bobine**, placée dans le champ magnétique et parcourue par le courant, tourne sous l'effet des **forces électromagnétiques**.

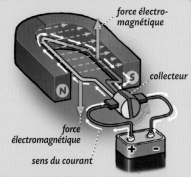

force électro-magnétique
S
collecteur
N
force électromagnétique
sens du courant

Pour que la bobine fasse un tour complet, les deux forces doivent être complémentaires. Grâce au collecteur, **l'alimentation de la bobine est inversée** à chaque demi-tour.

❷ moteur avec électro-aimant

Dans un appareil électroménager, le moteur est constitué d'un électro-aimant : des pièces métalliques qui deviennent des aimants quand elles sont entourées de bobinages électriques.

perceuse
L'arbre du moteur transmet sa puissance aux roues dentées, puis au foret.

foret

Le **stator** est un électro-aimant fixe.

stator   rotor

Le **rotor** est un bobinage de fils électriques.

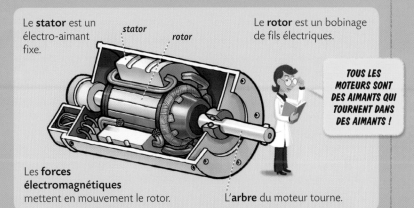

> TOUS LES MOTEURS SONT DES AIMANTS QUI TOURNENT DANS DES AIMANTS !

Les **forces électromagnétiques** mettent en mouvement le rotor.

L'**arbre** du moteur tourne.

❸ moteur pas à pas

Dans ce moteur, le rotor est un aimant. Le champ magnétique produit par les bobines électriques le fait tourner. Ce moteur a l'avantage de la précision.

imprimante
Pour faire avancer le papier dans une imprimante, on utilise un moteur pas à pas, capable de ne tourner que d'une portion de tour.

bobines (électro-aimant)   rotor (aimant)

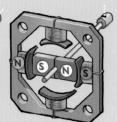

Les bobines opposées sont activées : l'aimant tourne.

Puis ce sont les deux bobines suivantes.

Le moteur tourne au gré de l'alimentation en courant des bobines.

> *Pourquoi ces lampes* sont-elles éco-énergie, Pr Siphon ? Vite, vos lumières !

> *Tout simplement parce qu'*elles émettent de la lumière sans produire inutilement de la chaleur ! C'est la luminescence : l'excitation puis la désactivation de leurs matériaux produisent de petits grains de lumière.

1 lampe fluo-compacte

Cette lampe basse consommation émet de la lumière à partir d'une lumière invisible produite dans le tube. Presque toute l'énergie électrique est transformée en lumière !

❶ Les **électrodes** produisent des **décharges électriques** dans le tube, faisant ainsi circuler les électrons.

Le tube de verre contient du **mercure** et un gaz, le **néon**.

poudre fluorescente

> QUELLE EST LA DIFFÉRENCE ENTRE CES DEUX LAMPES ?

> *IL EXISTE DIFFÉRENTES SORTES DE LUMINESCENCE :* la lampe fluo-compacte génère la lumière par fluorescence. La LED fonctionne grâce à l'électroluminescence, qui est causée par un champ électrique.

L'intérieur du tube est recouvert d'une **couche fluorescente**.

❷ Les chocs des électrons avec les atomes de mercure génèrent de la **lumière ultraviolette**, invisible à l'œil nu.

atome de mercure

Le **module électronique** adapte le courant électrique pour produire un éclairage sans clignotement.

électron

❸ La poudre fluorescente réagit. De la **lumière blanche** est émise.

2 lampe à LED

Elle est constituée de diodes électroluminescentes (LED) qui émettent de la lumière grâce à une minuscule pastille de matériaux spéciaux. Elle consomme très peu d'électricité.

pastille en matériau semi-conducteur

photon

fil de contact

ampoule

pastille

> *LES LAMPES À INCANDESCENCE, AVEC UN FILAMENT DE TUNGSTÈNE CHAUFFÉ, ONT DISPARU CAR ELLES FOURNISSAIENT 5% DE LUMIÈRE ET 95% DE CHALEUR !*

couche où il manque des électrons

saut d'électron

couche avec des électrons libres

électron

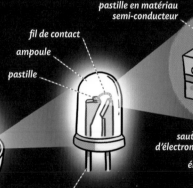

pattes de branchement

Pour utiliser des lampes à LED, qui ne fonctionnent que sous une faible tension électrique, il est indispensable d'utiliser un **transformateur**.

Lorsque la LED est branchée, les **électrons libres** passent d'une couche à l'autre. Chaque électron libère son énergie sous forme de **lumière** (photons).

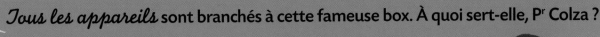

Tous les appareils sont branchés à cette fameuse box. À quoi sert-elle, Pr Colza ?

C'est la centrale multimédia, Julia ! Elle permet la communication des appareils informatiques de la maison avec l'univers numérique. Avec ou sans fils !

La box est un ordinateur : ses composants électroniques traitent, dirigent et enregistrent les informations des émissions de télévision, du courrier électronique, des pages web...

Même le **téléphone** passe par la box. Il est aussi possible de téléphoner avec un ordinateur et un logiciel ou avec un téléphone wifi.

La box adresse à l'**imprimante** les différentes commandes d'impression des ordinateurs.

Grâce au **wifi**, les informations sont transmises par ondes, sans fil.

La **box** est branchée sur la prise du téléphone ou du câble. Elle raccorde l'ensemble du réseau à Internet.

Le **bluetooth** est une liaison radio de faible débit et à courte distance.

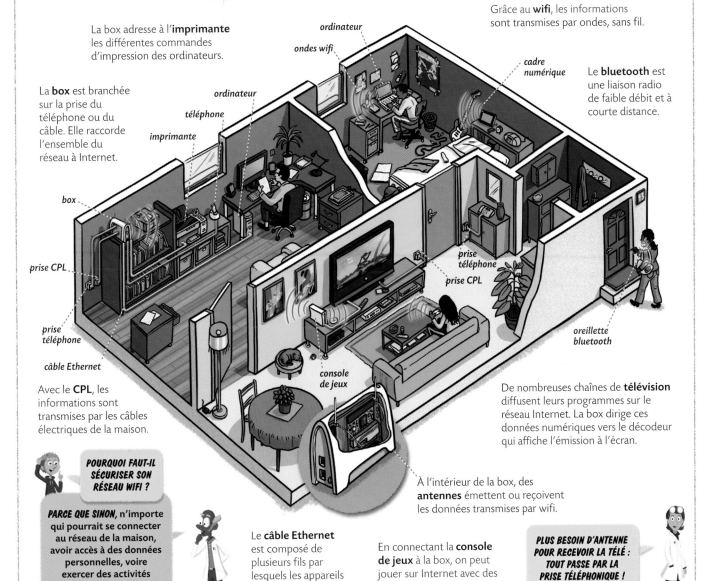

ordinateur

ondes wifi

cadre numérique

ordinateur

téléphone

imprimante

box

prise CPL

prise téléphone

câble Ethernet

prise téléphone

prise CPL

console de jeux

oreillette bluetooth

Avec le **CPL**, les informations sont transmises par les câbles électriques de la maison.

De nombreuses chaînes de **télévision** diffusent leurs programmes sur le réseau Internet. La box dirige ces données numériques vers le décodeur qui affiche l'émission à l'écran.

POURQUOI FAUT-IL SÉCURISER SON RÉSEAU WIFI ?

PARCE QUE SINON, n'importe qui pourrait se connecter au réseau de la maison, avoir accès à des données personnelles, voire exercer des activités illégales sur Internet.

Le **câble Ethernet** est composé de plusieurs fils par lesquels les appareils communiquent.

À l'intérieur de la box, des **antennes** émettent ou reçoivent les données transmises par wifi.

En connectant la **console de jeux** à la box, on peut jouer sur Internet avec des millions d'autres joueurs.

PLUS BESOIN D'ANTENNE POUR RECEVOIR LA TÉLÉ : TOUT PASSE PAR LA PRISE TÉLÉPHONIQUE !

Comment les émissions nous parviennent-elles à la maison, Pr Colza ?

Elles sont numériques, Théo ! Elles arrivent via des satellites, des antennes, des câbles et même Internet. Ces émissions sont décodées avant de s'afficher sur ton écran de téléviseur, d'ordinateur ou de téléphone.

production

studio

❶ L'**émission** en direct est filmée avec une **caméra numérique**. Elle peut être enregistrée pour une diffusion ultérieure.

diffuseur

❷ L'image et le son sont **codés** en des milliards de 0 et 1.

Les émissions produites sont envoyées au **centre de diffusion** avant d'être transmises.

Transmission par fibres optiques
En matière de télécommunications, les **fibres optiques** ont de hautes performances. Dans ces fibres plus fines qu'un cheveu, de la lumière transmet, en rebondissant sur ses parois, les émissions codées en 0 et 1.

Les fibres optiques transmettent plusieurs émissions dans un même fil de petit diamètre.

émission

satellite

La parabole envoie le signal numérique au **satellite**, qui le transmet à la parabole de la maison.

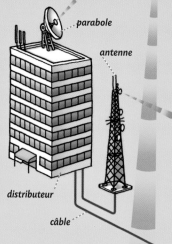

parabole

antenne

distributeur

câble

❸ L'émission est transmise **par ondes**, en utilisant les satellites ou les antennes (TNT), ou par câbles.

Transmises par les **ondes hertziennes**, les émissions sont également reçues par des téléphones portables ou des ordinateurs de poche.

réception

❹ Le **décodeur** reçoit les 1 et les 0, les traduit en images et en sons, qui sont envoyés à l'écran et aux haut-parleurs.

parabole

téléviseur

décodeur

L'**antenne parabolique** capte les chaînes cryptées ou en clair diffusées par des satellites. À la maison, les chaînes cryptées sont décodées selon l'abonnement du client.

antenne

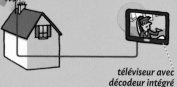

téléviseur avec décodeur intégré

L'**antenne TNT** transmet le signal numérique. À la maison, l'antenne le capte et le transmet au décodeur intégré au téléviseur.

ordinateur

téléviseur

box

boîtier de réception

Selon l'équipement de la maison, les émissions arrivent sur le boîtier du **câble** de télédistribution ou sur la **prise téléphonique**. On peut les regarder sur un téléviseur ou sur un ordinateur.

Quelle est la différence entre un écran plasma et un écran LCD, Pr Siphon ?

Tous les deux sont des sandwichs : entre deux plaques de verre, des millions de points peuvent s'éclairer en couleur. Leur différence tient seulement dans la façon de produire ces points lumineux.

❶ écran plasma

Il est constitué d'une myriade de lampes fluorescentes qui s'éclairent grâce à un gaz excité : le plasma.

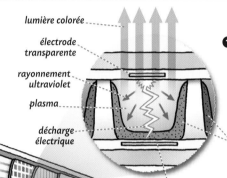

lumière colorée
électrode transparente
rayonnement ultraviolet
plasma
décharge électrique
électrode

électrodes verticales transparentes
gaz
pixels et sous-pixels
électrodes horizontales
plaque de verre

❶ Entre les deux électrodes d'un sous-pixel, la décharge électrique excite le gaz : il devient **plasma**.

❷ Le gaz ainsi excité produit un **rayonnement ultraviolet** invisible.

❸ La réaction de la **poudre fluorescente colorée** transforme le rayonnement en lumière visible : le sous-pixel s'éclaire.

Les **données numériques** de chaque image du film sont transformées par un microprocesseur qui active alors l'éclairage des pixels concernés.

Chaque plaque de verre est recouverte d'une grille d'**électrodes**. Les sous-pixels sont à la croisée des électrodes.

Un **gaz** est emprisonné entre les deux plaques de verre.

Si un **sous-pixel** est excité électriquement, il s'éclaire.

plaque de verre

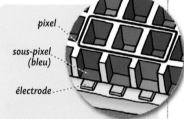

pixel
sous-pixel (bleu)
électrode

Un **écran** est constitué de millions de pixels, chaque pixel contenant trois sous-pixels un vert, un bleu, un rouge.

❷ écrans LCD et LED

Ils utilisent la propriété des cristaux liquides qui laissent passer plus ou moins la lumière selon leur excitation électrique.

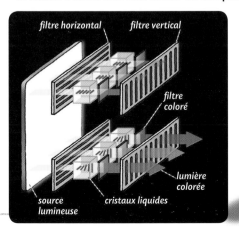

filtre horizontal
filtre vertical
filtre coloré
lumière colorée
source lumineuse
cristaux liquides

❶ Une source de **lumière blanche** éclaire l'écran par l'arrière. Dans le cas des écrans LED, plusieurs centaines de diodes électroluminescentes (les LED) produisent cet éclairage.

❷ Un **filtre** oriente la lumière horizontalement.

❸ Grâce aux réseaux d'**électrodes** qui apportent le courant aux endroits adéquats, certains cristaux liquides sont excités.

❹ Selon leur excitation, les **cristaux liquides** dévient plus ou moins la lumière à la verticale.

❺ La lumière traverse ensuite les **filtres** rouge, vert et bleu.

❻ Un autre **filtre** ne laisse passer que les rayons verticaux de lumières colorées.

❼ Les **sous-pixels** s'éclairent.

⓭ Tablette tactile, réseaux sociaux et Cloud

Comment une tablette si fine peut-elle faire tant de choses, Pr Colza ?

Vois-tu, Théo, si la tablette est à la fois écran de télévision, console de jeux, appareil photo, boussole, liseuse… c'est grâce à ses composants électroniques miniatures, ses logiciels et ses connexions distantes.

➊ La tablette tactile

L'écran tactile de la tablette, qui reconnaît les touchers, masque des composants ultraminiatures logés dans quelques millimètres d'épaisseur.

La **couche tactile** est composée de deux films dont les lignes conductrices de l'électricité définissent un quadrillage.

Le **verre** protège l'ensemble.

deux films

écran LCD

L'**écran tactile** est constitué d'une couche tactile superposée à l'écran d'affichage. En le touchant, les doigts produisent une perturbation électrique à la surface.

objectif de la caméra

micro

écran tactile

L'écran d'**affichage LCD** est constitué de millions de pixels, chacun composé de sous-pixels (vert, bleu et rouge).

bouton

nappe de connexion

batteries ultraplates

carte-mère

Un **gyroscope** et un **accéléromètre** électroniques identifient instantanément les mouvements de rotation et de translation de la tablette. Un logiciel bascule l'image de l'écran.

capteur de mouvement (gyroscope et accéléromètre)

port de connexion et de rechargement de batterie

haut-parleur

➊ Le ou les **touchers** sont convertis en coordonnées envoyées au microprocesseur qui le ou les localise.

➋ Le **microprocesseur** analyse le toucher : position initiale, déplacement éventuel et position finale.

➌ Dans sa banque de gestes identifiés, le **logiciel** de reconnaissance détermine l'action effectuée : contact, défilement, zoom…

➍ Un logiciel commande l'**action** : changement de fenêtre, ouverture d'une application, action de jeu…

❷ Les réseaux sociaux

Un réseau social est une plateforme informatique sur laquelle une communauté d'internautes inscrits échangent et interagissent entre eux.

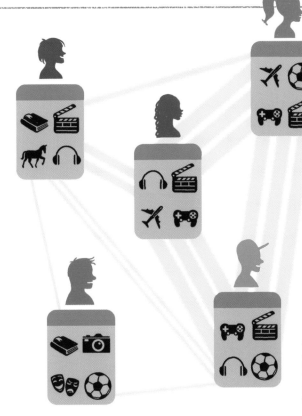

Un réseau social est un groupe d'individus ayant des intérêts communs qui échangent grâce à des **outils de communication.**

À partir de l'**analyse des profils,** des liens et des groupes, la plateforme propose de nouveaux **contacts** et filtre les informations transmises.

CHAQUE UTILISATEUR EST IDENTIFIÉ PAR SON PROFIL : UN AVATAR (UN PERSONNAGE VIRTUEL), DES INFORMATIONS GÉNÉRALES ET PERSONNELLES.

Comme les amis de vos amis peuvent être des amis, les **liens** s'étendent rapidement pour constituer un réseau en lien avec d'autres réseaux.

❸ Le Cloud

Le nuage est un stockage délocalisé des données et applications informatiques. Des *data centers* sont capables d'archiver et protéger toutes ces informations.

Les nombreux serveurs du *data center* sont hautement **protégés** des risques d'incendie, des problèmes électriques et du piratage.

❶ L'utilisateur se connecte au **serveur d'identification** du Cloud grâce à son adresse et son mot de passe.

le Cloud, ou nuage

data center, ou ferme de serveurs

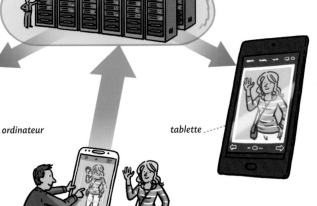

L'ESPACE DE STOCKAGE PEUT ÊTRE PARTAGÉ PAR PLUSIEURS PERSONNES.

ordinateur

tablette

❷ Il travaille avec les **applications à distance** sur ses fichiers et données stockés. Les modifications sont enregistrées et dupliquées sur plusieurs serveurs du *data center.*

smartphone

❸ L'utilisateur récupère et poursuit le travail en cours sur son **smartphone,** sa **tablette** ou son **ordinateur.**

Le lecteur CD, DVD et Blu-ray

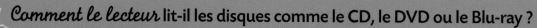

Comment le lecteur lit-il les disques comme le CD, le DVD ou le Blu-ray ?

Les musiques ou les images sont gravées sur le disque sous forme de creux microscopiques. Le lecteur est un œil électronique qui les « voit » quand ils sont éclairés par un laser. C'est une lecture optique.

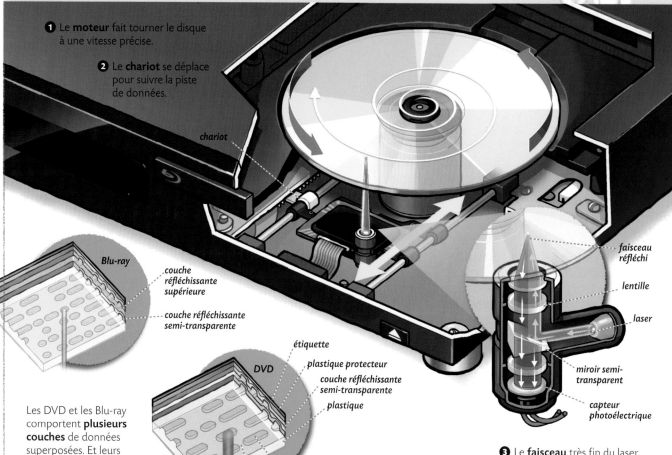

❶ Le **moteur** fait tourner le disque à une vitesse précise.

❷ Le **chariot** se déplace pour suivre la piste de données.

chariot

Blu-ray

couche réfléchissante supérieure

couche réfléchissante semi-transparente

faisceau réfléchi

lentille

laser

miroir semi-transparent

capteur photoélectrique

étiquette

DVD

plastique protecteur

couche réfléchissante semi-transparente

plastique

creux

plateau

faisceau du laser rouge

Les DVD et les Blu-ray comportent **plusieurs couches** de données superposées. Et leurs creux sont **plus fins** que ceux d'un CD. Ils peuvent ainsi contenir plus de données.

❹ La couche réfléchissante du disque contient toutes les données sous forme de **creux** et de **plateaux**.

❸ Le **faisceau** très fin du laser éclaire la piste du disque, d'où il est réfléchi vers le capteur photoélectrique.

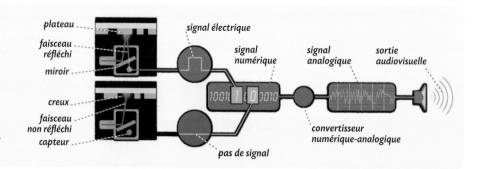

❺ Le **capteur photoélectrique** détecte les plateaux et les transforme en signaux électriques.

❻ Les **signaux** sont convertis et envoyés à l'ordinateur, à la télévision ou à l'amplificateur.

plateau

faisceau réfléchi

miroir

creux

faisceau non réfléchi

capteur

signal électrique

signal numérique

signal analogique

sortie audiovisuelle

1001 1 0 0010

convertisseur numérique-analogique

pas de signal

Visible par l'œil humain, la lumière blanche émise par le Soleil ou par les lampes électriques est composée d'une infinité de lumières colorées. Les lasers produisent une lumière très différente : un faisceau très fin d'une seule couleur pure aux applications multiples.

❶ lumière blanche

C'est le mélange de lumières colorées correspondant aux couleurs de l'arc-en-ciel.

En passant dans un prisme en verre, une goutte d'eau ou au travers du fin relief des plateaux et des creux d'un CD, la **lumière blanche** se décompose car les lumières colorées ne sont pas déviées de la même façon.

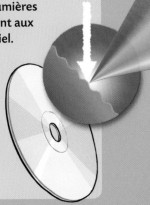

Le mélange de trois **lumières colorées** (le rouge, le vert et le bleu) permet d'obtenir de la lumière blanche ainsi que toutes les autres couleurs.

Les **millions de couleurs** des écrans de télévision et des appareils photos sont donc issues des multiples additions de ces trois lumières colorées primaires.

❷ rayon laser

Il est produit par l'excitation d'un cristal, d'un gaz ou d'un liquide dans une ampoule dont les extrémités sont des miroirs.

Un **miroir opaque** renvoie la lumière. L'autre miroir, **semi-transparent**, laisse passer la lumière.

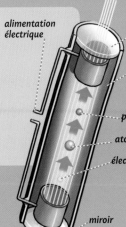

alimentation électrique

miroir semi-transparent

ampoule remplie de gaz

photon

atome de gaz

électron

miroir opaque

photons

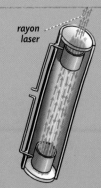

rayon laser

1 Le courant électrique excite les **atomes** du gaz : ils émettent de la lumière (des photons).

2 La lumière augmente car les photons sont aussi renvoyés par les **miroirs**.

3 Le **rayon** se forme dès que la lumière est assez forte pour traverser le miroir.

Applications

Les rayons laser peuvent être guidés et concentrés par des miroirs et des lentilles pour des usages domestiques (lecteur CD), industriels (découpe de l'acier), chirurgicaux... Canalisés dans une fibre optique, ils transmettent les données des télécommunications.

spectacle laser
Le rayon laser trace des lignes, des lettres ou des images très précises et à grande distance grâce aux mouvements ultrarapides de miroirs commandés par le programme d'un logiciel.

chirurgie de l'œil
La finesse du rayon laser permet de sectionner partiellement la cornée et de corriger ainsi la myopie. Grâce au laser, on peut soigner une zone précise de l'œil sans léser les zones voisines.

télémétrie
Pour calculer la distance d'un satellite artificiel de la Terre, il suffit de mesurer le temps d'un aller-retour d'une impulsion laser. Cette technique a aussi des usages militaires.

 *Comment se fait-il* que les haut-parleurs vibrent au rythme de la musique ?

Tout simplement parce qu'il faut faire vibrer de l'air pour produire les sons. Si le volume est très élevé, c'est toute l'enceinte qui vibre ! Et sais-tu que le microphone fonctionne comme un haut-parleur à l'envers ?

➊ haut-parleur

Il permet d'entendre les sons en transformant un courant électrique en vibration sonore.

membrane

➊ L'**amplificateur** envoie un courant électrique au haut-parleur.

➋ La **bobine** parcourue par le courant électrique se déplace et vibre.

bobine

aimant

La bobine, mobile, et l'aimant, fixe, forment un **électroaimant**.

➌ La bobine communique ce mouvement à la **membrane**.

➍ La membrane fait **vibrer** l'air : les sons deviennent audibles.

À QUOI SERT L'AMPLIFICATEUR, Pr SIPHON ?

IL PERMET D'ADAPTER LE FAIBLE COURANT ÉLECTRIQUE délivré par un microphone, une antenne de radio ou encore une tête de lecteur CD aux puissants haut-parleurs.

Les **vibrations de l'air** sont différentes selon que le son est grave ou aigu. Le petit haut-parleur diffuse les sons aigus, le grand les sons plus graves : les basses.

➋ microphone

C'est l'inverse du haut-parleur : il transforme une vibration sonore en courant électrique.

➋ Les déplacements de la **bobine** le long de l'aimant génèrent un courant électrique.

➊ La voix fait vibrer l'air qui fait vibrer la **membrane** puis la bobine.

➌ Le micro est relié à l'**amplificateur**, qui augmente le courant électrique pour rendre le son audible.

membrane   *bobine*   *aimant*

LES MICROS PORTATIFS N'ONT PAS DE CORDON, MAIS UN ÉMETTEUR RADIO !

LA MAISON

 LE SALON

On se croirait vraiment dans la scène ! Comment est-ce possible, Pr Siphon ?

C'est tout simple, Julia ! Les différents haut-parleurs émettent les paroles ou les bruits avec un décalage de quelques secondes, et plus ou moins forts. Comme au cinéma !

Un home cinéma

est composé d'un décodeur et de plusieurs enceintes qui restituent l'ambiance sonore d'un film.

Le **haut-parleur central** diffuse les sons sans mouvement.

❶ Le **décodeur** est connecté au lecteur DVD. Il lit la répartition de tous les sons du film, enregistrée sur le DVD.

Avec une **télécommande**, les commandes se font à distance !

❶ Lorsqu'on appuie sur une touche, le circuit électronique allume la led infrarouge.

❷ Le rayon invisible est codé en fonction de la commande (volume, couleur...).

❸ L'appareil reçoit ce code et exécute la commande.

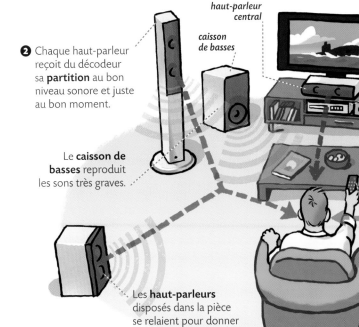

haut-parleur central

caisson de basses

lecteur de DVD

décodeur

❷ Chaque haut-parleur reçoit du décodeur sa **partition** au bon niveau sonore et juste au bon moment.

Le **caisson de basses** reproduit les sons très graves.

Les **haut-parleurs** disposés dans la pièce se relaient pour donner l'impression sonore des mouvements.

❸ Le **réglage** du volume et de la répartition entre les diverses enceintes permet d'ajuster les effets.

BIEN SÛR, LE DÉCODEUR A UN « ŒIL » POUR VOIR, PUIS IDENTIFIER LA COMMANDE !

 LE ➕ DU PR COLZA

Les écrans larges sont dits 16/9 du fait du rapport entre leur largeur et leur hauteur. C'est le format des films de cinéma. Sur les écrans de télévision classiques, qui ont un format 4/3, les images des films ne sont pas entières.

DEVINETTE

Quel est le point commun entre la télécommande d'une télé et la manette d'une console de jeux ?

Les deux envoient des signaux lumineux. La manette de la console transmet aussi le sens du mouvement et, grâce à un accéléromètre, sa vitesse.

EXPÉRIENCE

Dans une pièce obscure, place ta télécommande devant l'objectif d'un appareil photo numérique. Lorsque tu appuies sur les boutons de la télécommande, le faisceau infrarouge, invisible à l'œil nu, devient visible sur l'écran : cela fait des dessins !

Qu'y a-t-il à l'intérieur d'un appareil photo numérique, Pr Colza ?

Pas grand-chose, Théo ! En gros, c'est une boîte noire percée d'un trou qui laisse passer la lumière, car photographier, c'est écrire avec la lumière. C'est le capteur qui transforme la lumière en image.

L'appareil photo
numérique possède un automatisme qui règle tout seul le diaphragme et le temps d'exposition du capteur.

Le **déclencheur** produit l'ouverture et la fermeture de l'obturateur, un rideau placé devant le capteur.

La **batterie** fournit l'énergie.

Selon l'éclairage, le **diaphragme** s'ouvre plus ou moins pour laisser passer la bonne quantité de lumière.

❶ La lumière et l'image sont dirigées sur le capteur grâce aux **lentilles** de l'objectif.

objectif

viseur

flash

❷ Chaque photosite du **capteur**, sensible à la lumière, transmet au circuit électronique un signal électrique.

Un damier de carrés rouges, verts et bleus filtre les couleurs de la lumière.

Selon les couleurs du sujet photographié, chaque **photosite** reçoit une part variable des trois couleurs. Il réagit en envoyant un courant électrique variable.

Ce courant est ensuite converti en un signal numérique. Chaque **point** (ou pixel) de l'image est ainsi codé selon sa position et sa couleur.

❸ La photographie est enregistrée en une série de 0 et 1 sur la **carte mémoire**.

❹ L'image numérique s'affiche aussitôt sur l'**écran**.

Le **circuit électronique** rétablit le sens de l'image sur l'écran.

Via un **cordon**, on peut transférer les photos à un ordinateur ou un téléviseur.

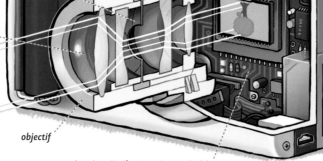

Les **lentilles** de l'objectif forment l'image sur le capteur. Lorsqu'on fait un zoom, leur déplacement modifie l'angle de vision et la taille de l'image.

sujet

lentilles

lumière

image

objectif

diaphragme

capteur

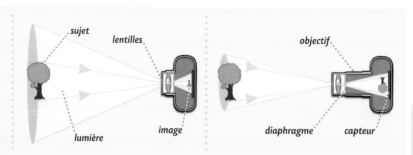

LORSQU'ON APPUIE SUR LA COMMANDE DU ZOOM, UN MOTEUR ÉLECTRIQUE DÉPLACE L'OBJECTIF.

19 La mémoire

Le fonctionnement de l'ordinateur nécessite la lecture et l'écriture de données enregistrées dans la mémoire de la carte mère (programmes de démarrage) ou le disque dur (logiciels et documents). Les données peuvent aussi être lues et enregistrées dans des mémoires transportables (CD, clé USB...).

❶ mémoire interne

Certaines données sont enregistrées sur la carte mère, d'autres sur le disque dur.

1 mémoire morte

Les données et les programmes indispensables au **démarrage** de l'ordinateur sont enregistrés sur une mémoire appelée **ROM** (Read Only Memory) car elle ne peut être que lue. Elle ne s'efface pas lorsqu'on éteint l'ordinateur.

2 mémoires vives (RAM)

Les données sont stockées **provisoirement** dans des mémoires vives : les mémoires tampons ou mémoires de travail.

3 disque dur

Le disque dur est une **mémoire magnétique**. Il peut être interne ou externe. Il contient plusieurs disques appelés plateaux. Des **bras** (un par face de plateau) munis d'un petit **électroaimant** lisent ou écrivent les données en balayant toute la surface des plateaux.

Les minuscules particules du **matériau** sont orientées sous l'effet de l'électroaimant. Deux particules qui se suivent forment un 0 si elles sont orientées de la même façon, un 1 si elles sont orientées différemment.

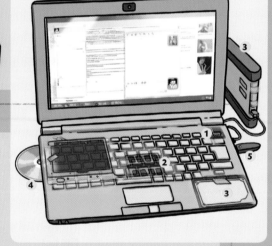

❷ mémoire externe

Certaines données sont enregistrées dans des mémoires transportables, qui les conservent de façon électronique, magnétique ou optique.

4 disque (CD, DVD...)

Ce sont des mémoires optiques. Les informations binaires sont mémorisées sous la forme de petits creux gravés sur le sillon. Le passage d'un creux à un plateau est codé 1 ; quand il n'y a pas de changement, c'est un 0.

5 clé USB

C'est une mémoire électronique. Elle conserve ses données écrites même sans alimentation. Elle est active lorsqu'elle est connectée sur le port USB de l'ordinateur.

Le branchement sur le **connecteur USB** alimente électriquement la clé.

Le **contrôleur** gère le dialogue entre la mémoire et l'ordinateur.

La **mémoire** est un composant électronique qui contient des millions de cases enregistrant les 0 et les 1.

Le **quartz** vibre des milliers de fois par seconde. C'est le rythme d'écriture ou de lecture de la mémoire.

connecteur

contrôleur

mémoire

quartz

led

Le **témoin lumineux** (led) signale les transferts d'information.

Ils obéissent aux doigts, Théo ! Les déplacements des doigts sur l'écran ou le pavé tactile sont détectés et interprétés. Les composants électroniques font alors le reste, immédiatement !

Un ordinateur est constitué de composants électroniques complexes qui transforment, stockent et échangent des données.

webcam intégrée

microphones intégrés

Sur l'**écran tactile**, on peut écrire avec le doigt, dessiner, commander les différents menus...

L'ÉCRAN PLAT PEUT PIVOTER DANS TOUS LES SENS !

articulation

L'ordinateur comporte une **serrure biométrique** : seul son propriétaire, reconnu à ses empreintes digitales, peut l'utiliser !

télécommande incorporée

Le **pavé tactile** (*touchpad*) fonctionne comme l'écran tactile.

La **mémoire morte** (ROM) stocke les informations indispensables au fonctionnement de la carte mère.

Le **microprocesseur** traite l'ensemble des données.

La **mémoire vive** (RAM) garde en mémoire les données en cours d'utilisation.

La **batterie** fournit l'électricité nécessaire au traitement des informations.

ports d'entrée et de sortie

Le **disque dur** stocke les programmes et les données.

lecteur-graveur de DVD

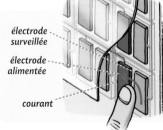

électrode surveillée

électrode alimentée

courant

Le pavé tactile est constitué d'un fin damier de paires d'électrodes. L'une est alimentée tandis que l'autre est surveillée par une carte électronique. Tout déplacement du doigt fait passer le courant de l'une à l'autre. La carte électronique détecte le mouvement et le répercute à l'écran : défilement, agrandissement ou réduction, rotation...

ÇA NE MARCHE PAS AVEC DES GANTS, CAR L'ÉLECTRICITÉ STATIQUE DE LA PEAU EST STOPPÉE !

21 Le microprocesseur

Le microprocesseur est le composant essentiel des ordinateurs, mais aussi des appareils photo numériques, des téléphones portables ou des consoles de jeux. Il traite à très grande vitesse des millions d'instructions et de données.

❶ carte mère

Le microprocesseur est un circuit intégré de la carte mère. Il est relié aux autres composants grâce aux circuits imprimés sur la carte.

Le microprocesseur consomme de l'énergie qui se transforme en chaleur. Il est toujours monté avec un **radiateur** qui dissipe cette chaleur.

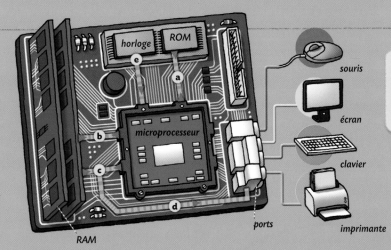

horloge — ROM — e — souris — a — microprocesseur — écran — b — clavier — c — imprimante — d — ports — RAM

L'HORLOGE DONNE LA CADENCE DU TRAITEMENT. C'EST COMME LE CŒUR QUI BAT : ELLE NE DONNE PAS L'HEURE MAIS LE RYTHME.

a Le **microprocesseur** lit dans la **mémoire morte (ROM)** les instructions du programme et les exécute.

b Il dépose puis récupère des calculs en cours ou des données stockées provisoirement dans la **mémoire vive (RAM)**.

c Il reçoit des informations des **périphériques d'entrée**, les compare avec les données en mémoire, puis exécute ce que le programme dans la ROM a prévu.

d Il commande alors les **périphériques de sortie** : modification de l'image à l'écran, déclenchement d'un moteur, émission d'un son...

❷ transistors

Un microprocesseur contient plusieurs centaines de millions de transistors.

Constitué d'un **matériau semi-conducteur**, un transistor est un interrupteur commandé : il laisse passer le courant électrique seulement si sa base est sous tension.

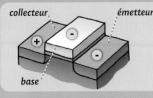

collecteur — émetteur — base

La base n'est pas alimentée : le courant ne passe pas. Le transistor est à l'**état 0**.

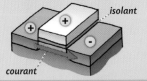

isolant — courant

La base est sous tension : le courant passe entre le collecteur et l'émetteur. Le transistor est à l'**état 1**.

Les **transistors** sont assemblés et connectés entre eux pour réaliser des opérations arithmétiques (addition, soustraction, multiplication, division), logiques (égal à, plus grand que, plus petit que...). Les résultats des calculs sont toujours des états électriques codés 0 ou 1.

Applications

Tous les appareils automatiques contiennent un microprocesseur qui exécute les instructions de leur programme. Dans un téléphone portable, il recherche les zones de réception, signale les appels, envoie les messages, déclenche le réveil...

calculatrice
Pour effectuer les **opérations**, le microprocesseur traite les nombres saisis, les convertit en binaire et fait appel aux règles de calcul de son programme. Il affiche ensuite le résultat.

jeu d'échecs
Grâce à ses **calculs**, le microprocesseur étudie les déplacements des pièces et leurs conséquences, examine les coups possibles puis choisit la solution la plus stratégique.

robot marcheur
Pour marcher, courir, monter un escalier ou danser, le microprocesseur du robot commande les moteurs selon les informations qu'il reçoit des nombreux **capteurs** de position et d'équilibre.

Comment l'ordinateur sait-il ce que je fais avec la souris ou le clavier, Pr Colza ?

C'est simple, Julia ! La souris transmet ses déplacements à l'ordinateur. Quant aux frappes sur les touches du clavier, elles lui parviennent sous forme d'un code numérique.

❶ souris

Grâce à une petite caméra, la direction et la distance du déplacement de la souris optique sont repérées.

C'EST COMME SI LE TAPIS DE SOURIS ÉTAIT L'ÉCRAN, ET LA SOURIS LE CURSEUR.

❶ Une **LED** éclaire la surface sous la souris.

❷ Une **caméra** miniature filme cette surface.

❸ Une **puce électronique** compare les images successives et interprète les déplacements.

❹ Elle envoie les informations à l'ordinateur par **ondes radio**.

❺ L'ordinateur commande les déplacements du **curseur** à l'écran.

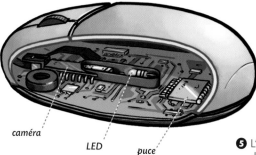

caméra

LED   puce

❷ clavier

Chaque touche du clavier est un interrupteur repéré par un code.

❶ Chaque fois que l'on frappe sur une **touche**, le clavier envoie le signal électrique contenant le code de la touche à l'ordinateur.

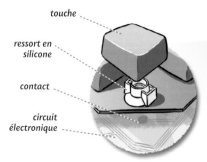

touche

ressort en silicone

contact

circuit électronique

En pressant la touche, on établit un **contact électrique**.

❷ L'**ordinateur** cherche dans sa base de données à quelle lettre le code correspond.

❸ La lettre s'affiche à l'**écran**.

🚲 AUTREFOIS

Les anciennes souris utilisaient deux petits capteurs qui analysaient la rotation d'une boule pour déterminer leur déplacement.

LE ✚ DU Pr SIPHON

Comme la souris est optique, elle fonctionne mal sur les surfaces trop sombres ou trop réfléchissantes comme le verre ou le plastique brillant.

AUTREMENT

Sur un clavier virtuel, un laser permet d'afficher les touches du clavier sur le bureau. Les doigts sont localisés grâce à un capteur infrarouge et leurs déplacements sont transmis à l'ordinateur.

Toutes les imprimantes fonctionnent-elles de la même façon, Pr Siphon ?

Non, Théo ! Il y a trois types d'imprimantes : certaines projettent de l'encre liquide, d'autres fixent des poudres, d'autres encore déposent des cires.

L'imprimante à jet d'encre utilise de l'encre liquide noire ou colorée qui est projetée sur le papier pour tracer les lettres ou les dessins.

Avec le noir et les trois couleurs, cyan, magenta et jaune, on obtient **toutes les couleurs**. Comme pour la peinture !

cartouche — réservoir — contacts électriques — buses

❸ La **cartouche** est percée de tout petits trous, les **buses**, qui expulsent l'encre.

cartouche

chariot

courroie

moteur

carte électronique

moteur pour l'entraînement du papier

❷ Le **chariot** balaie ligne par ligne toute la feuille, qui avance par adhérence grâce aux roues caoutchoutées.

roue en caoutchouc

❶ Un **moteur** et une **courroie** déplacent le chariot.

buse de la cartouche

Les gouttes d'encre sont expulsées grâce au courant électrique.

encre du réservoir — élément de chauffe — bulle d'air — buse

Chauffée par le courant, la bulle d'air gonfle.

Poussée par la bulle, la goutte d'encre est expulsée.

AUTRES IMPRIMANTES

imprimante à sublimation

Ici, l'encre est une **cire**. Le ruban encreur est recouvert de cires des trois couleurs de base. La **tête d'impression** chauffe très fort le **ruban**, sublimant la cire (la transformant en gaz). Les couleurs sont déposées en couches les unes sur les autres. Une couche de vernis protège les photos.

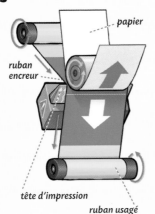

papier

ruban encreur

tête d'impression

ruban usagé

imprimante laser

L'encre se présente sous forme de poudre : le toner.

❶ Le **tambour**, un rouleau, est chargé électriquement sur toute sa surface.

❷ Le balayage du **laser** supprime l'électrisation des points des lettres, par exemple. Une image électrostatique du document à reproduire est ainsi créée.

❸ Enfin, le rouleau passe près du réservoir de **toner** : la poudre est attirée par les zones non électrisées (lettres...), déposée sur le papier et fixée par cuisson.

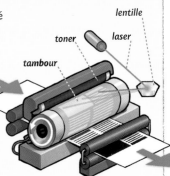

lentille

toner — laser

tambour

Un scanner, c'est comme une sorte d'appareil photo numérique, Pr Colza ?

Tu as raison, un scanner est aussi un numériseur. Le capteur de lumière est analogue. La différence principale est que le scanner numérise la page ligne par ligne alors que l'appareil photo le fait en une seule fois.

Un scanner permet de transférer vers l'ordinateur l'image numérique d'un document.

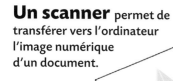

page à numériser

source lumineuse

❶ Le **document** est placé sur la plaque de verre.

❷ En se déplaçant, les **rayons lumineux** éclairent ligne par ligne le document.

❸ Grâce aux deux **miroirs** (fixe et mobile), chaque ligne de lumière est envoyée vers l'objectif.

plaque de verre

miroir fixe

miroir mobile

objectif

capteur

❹ L'**objectif** concentre la lumière sur le capteur.

POUR UNE PAGE EN COULEURS, LE SCANNER DISTINGUE LE ROUGE, LE VERT ET LE BLEU EN UN SEUL BALAYAGE.

❺ Le **capteur** transforme chaque ligne de lumière en données numériques qui sont envoyées à l'ordinateur.

❻ L'**ordinateur** reconstitue l'image.

Le capteur du scanner est constitué d'une ligne de milliers de petits **détecteurs de lumière**. Chaque détecteur transforme la lumière en signal électrique qui est interprété par l'ordinateur comme un point de l'image.

25 La numérisation

Avec les ordinateurs et tous les appareils numériques, un son, une musique, une image, un film, un texte... sont découpés en toutes petites parties. Celles-ci sont numérisées, c'est-à-dire transformées en séries de 0 et de 1. Ces nombres sont facilement traités, stockés, transmis, puis restitués.

❶ image

Les images numériques sont obtenues par exemple grâce aux scanners, aux appareils photo ou à des logiciels.

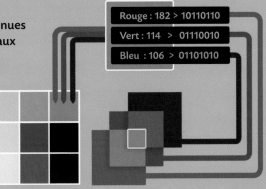

Rouge : 182 > 10110110
Vert : 114 > 01110010
Bleu : 106 > 01101010

Dans une image en couleur, chaque pixel est associé à **trois nombres** qui correspondent aux trois couleurs **rouge**, **vert** et **bleu**, dont le mélange donne toutes les nuances de couleurs.

UNE IMAGE EN HAUTE RÉSOLUTION, C'EST UNE IMAGE DE GRANDE QUALITÉ ?

L'**image numérique** est formée d'un ensemble de minuscules carrés, les pixels.

La couleur de chaque **pixel** et sa position dans l'image sont traduites en nombres écrits avec 8, 16, 32 ou 64 chiffres élémentaires 0 ou 1.

TOUT À FAIT, JULIA ! Plus la résolution est grande, plus l'image est divisée et donc plus elle est précise. Mais elle occupe plus de place en mémoire. C'est pareil pour le son !

❷ son

Les sons numériques sont enregistrés grâce aux cartes son des enregistreurs MP3, des ordinateurs ou des consoles de sonorisation.

Le son est **échantillonné**, c'est-à-dire découpé de façon régulière.

Un son numérique est codé selon **cinq critères** : la note, la hauteur, la durée, l'intensité et le timbre.

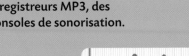

son numérique

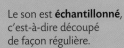

note	11111101
hauteur	11001001
durée	00101000
intensité	01010101
timbre	10000101

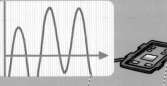

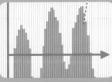

musicien   onde sonore   micro   son analogique   carte son

La **numérisation** consiste à coder les rectangles ainsi définis.

Applications

La numérisation des images ou des sons permet leur traitement informatique, les ordinateurs n'étant capables que de traiter des 0 et des 1. Il existe de nombreux logiciels de création numérique d'images (fixes ou animées) ou de sons.

photos
Avec un logiciel, on peut retoucher les **photos** point par point. Les valeurs numériques des pixels sont aussitôt changées.

images de synthèse
Les **personnages** et les **objets** en **3D** sont dessinés à partir d'une sorte de grillage dont chaque maille est codée numériquement avec sa position et sa couleur, toutes deux facilement modifiables.

partition
Grâce à un logiciel de **composition**, les notes sont mémorisées sous un format numérique. Il est alors facile de modifier chaque note de la partition.

Pour surfer sur internet, il suffit d'un clic. C'est génial, Pr Siphon !

Je suis bien d'accord, Julia ! Et sais-tu que ton clic déclenche la communication ultrarapide de ton ordinateur avec le réseau Internet via d'autres ordinateurs qui orientent, trient ou transfèrent les données.

❶ Internet

C'est un réseau mondial sur lequel des ordinateurs communiquent et échangent des informations. Le World Wide Web est l'une des applications d'Internet.

Les **ordinateurs** sont connectés à Internet par l'intermédiaire de fournisseurs d'accès.

ordinateur personnel

Le **fournisseur d'accès** propose différents services : courrier, messagerie instantanée, consultation de sites...

COMMENT ACCÈDE-T-ON À UN SITE INTERNET, Pr SIPHON ?

EN SAISISSANT L'ADRESSE DU SITE : http://www.nomdesite.fr ! Cette adresse est aussitôt traduite en une adresse IP : celle de l'ordinateur où le document est stocké.

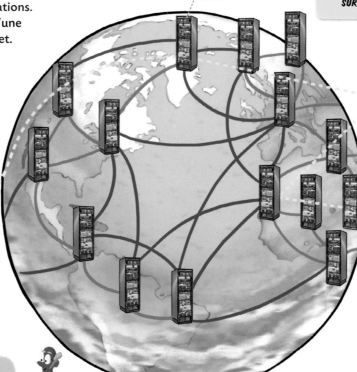

serveur

CHAQUE ORDINATEUR A UNE ADRESSE IP : UN NUMÉRO D'IDENTIFICATION SUR LE RÉSEAU.

satellite

Les liaisons entre ordinateurs et serveurs se font par **câbles** terrestres ou sous-marins ou encore par **satellite.**

Les **sites web** sont stockés sur des serveurs répartis dans le monde entier.

Un **serveur web** est une machine capable de stocker et d'envoyer des informations.

❶ Le **logiciel de navigation** installé sur l'ordinateur interroge un moteur de recherche disponible sur la toile (le web).

❷ En fonction de la requête, le **moteur de recherche** renvoie une liste de documents et les adresses correspondantes.

❸ En cliquant sur le lien d'un des documents, on accède au **serveur** sur lequel il est stocké.

❹ Le logiciel de navigation affiche le **document**. L'ensemble des échanges entre ordinateurs n'a duré que quelques secondes.

❷ e-mail

Le courrier électronique est une autre application d'Internet. Les messages circulent sur le réseau via les serveurs des fournisseurs d'accès.

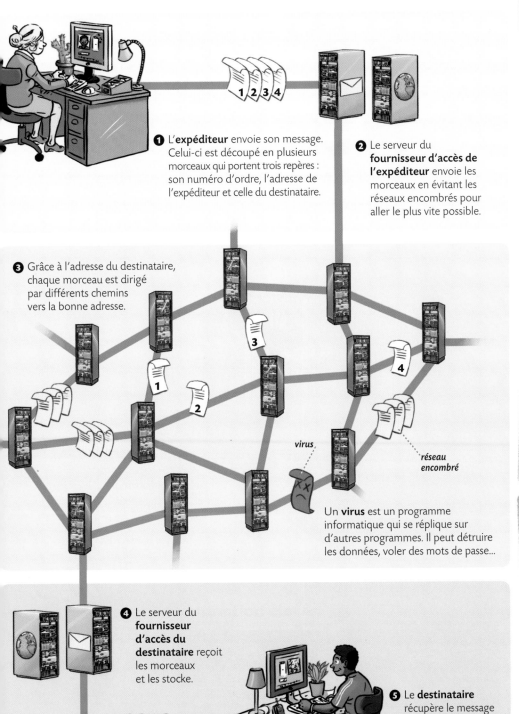

❶ L'**expéditeur** envoie son message. Celui-ci est découpé en plusieurs morceaux qui portent trois repères : son numéro d'ordre, l'adresse de l'expéditeur et celle du destinataire.

❷ Le serveur du **fournisseur d'accès de l'expéditeur** envoie les morceaux en évitant les réseaux encombrés pour aller le plus vite possible.

❸ Grâce à l'adresse du destinataire, chaque morceau est dirigé par différents chemins vers la bonne adresse.

virus

réseau encombré

Un **virus** est un programme informatique qui se réplique sur d'autres programmes. Il peut détruire les données, voler des mots de passe...

❹ Le serveur du **fournisseur d'accès du destinataire** reçoit les morceaux et les stocke.

❺ Le **destinataire** récupère le message recomposé dans le bon ordre grâce au numéro de chacun des morceaux.

L'imprimante 3D

Comment une imprimante peut-elle produire des objets, P' Siphon ?

On l'appelle ainsi par commodité, Théo, mais en fait, l'imprimante 3D fabrique des objets couche par couche par dépôt de matériaux en fusion.

L'imprimante 3D

suit les instructions d'un logiciel qui définit le dessin de chaque couche de plastique qui composera l'objet.

Le **porte-buse** se déplace sur des rails grâce à deux moteurs. L'un le déplace de gauche à droite, l'autre d'avant en arrière.

LA COMBINAISON DES DEUX MOUVEMENTS SUR LE PORTIQUE PERMET DE COUVRIR TOUS LES POINTS DU PLAN !

filament plastique

extrudeuse

corps de chauffe

buse

Le **ventilateur** refroidit le plastique déposé pour un durcissement rapide et uniforme.

L'**extrudeuse** pousse le filament dans le corps de chauffe.

Dans le **corps de chauffe**, le filament de plastique est porté à sa température de fusion.

ÇA MARCHE COMME UN PISTOLET À COLLE ÉLECTRIQUE ?

OUI ! La température est essentielle. Le matériau doit bien couler, rester assez dur pour pouvoir ajouter une nouvelle couche et assez chaud pour se coller.

ANECDOTE

En 2011, une prothèse de mâchoire inférieure en poudre métallique agglomérée par laser et imprimée en 3D a été implantée sur un malade. Chaque millimètre de mâchoire était composé de 33 couches.

Un **moteur** fait descendre le plateau de quelques dixièmes de millimètres.

La structure du **bâti** et son poids limitent les vibrations de la machine pour une grande précision.

La **carte électronique** commande la fabrication et toutes les actions de la machine.

① La forme de l'objet est dessinée grâce à un **logiciel de conception assistée par ordinateur** (CAO).

② Le logiciel définit les **dessins des couches** en 2D. Le fichier est transmis à l'imprimante 3D.

③ En se déplaçant sur un plan, la **buse** dépose une couche de plastique ; le **plateau** descend et ainsi de suite.

④ Une fois le mille-feuilles achevé, on peut **reproduire** la pièce à l'identique ou la modifier.

Qu'ont-ils de différent, tous ces robots qui nous aident, Pr Colza ?

Leur façon de communiquer, Julia ! Certains exécutent des opérations sans même nous voir, d'autres interagissent avec nous et interprètent nos paroles, gestes ou émotions. Ce sont des compagnons de vie !

❶ Nao, le robot compagnon

Nao est un robot auxiliaire de vie. Grâce à ses capacités d'interaction, ses usages peuvent être très divers.

L'origine et la signification des sons sont analysées grâce aux micros.
Le **traitement des voix** identifie les mots et le **logiciel de synthèse vocale** compose ensuite des séquences dans la langue choisie.

Un **logiciel de reconnaissance faciale** mesure la position des traits du visage pour identifier une personne. Il reconnaît ainsi six émotions : joie, peur, tristesse, colère, dégoût et surprise.

Les **capteurs de toucher** détectent les contacts ou caresses grâce aux variations du champ électrostatique.

Les **articulations** sont actionnées par plusieurs moteurs électriques ultraprécis.

Les **émetteurs-récepteurs infrarouges** logés dans les yeux et la liaison wifi permettent la connexion avec un ordinateur et internet.

micro
haut-parleur
caméras
main préhensible
zone tactile
sonars
batterie
capteurs de choc

Le **pouce opposable** de la main à trois doigts permet de saisir les objets avec force et précision.

Les **sonars,** des télémètres à ultrasons, permettent d'estimer les distances des obstacles.

Grâce à sa **puce 4G,** il peut répondre à des appels téléphoniques, prendre une photo et l'envoyer par MMS ou par e-mail.

Sa **carte inertielle,** équipée d'un accéléromètre et d'un gyroscope, contrôle en permanence son équilibre.

❷ Robot tondeuse

Ce robot d'assistance permet de tondre une pelouse sans le moindre effort.

base de recharge

❶ Le robot cartographie la ou les zones à tondre délimitées par un **câble périmétrique** enterré sous la pelouse.

❷ Avec ses **capteurs,** le robot est capable de détecter les obstacles comme un arbre ou un chat.

❸ À la fin de la tonte ou quand sa **batterie** est vide, le robot retourne à sa base pour se recharger.

Quelle est la différence entre une montre à aiguilles et une montre à cristaux liquides ?

Seulement l'affichage, Théo ! Une montre, c'est toujours un composant qui bat régulièrement, un compteur qui additionne les secondes, les minutes et les heures, et une source d'énergie.

La montre à quartz

comporte des composants électroniques miniaturisés qui commandent avec une très grande précision les aiguilles.

UNE MONTRE NUMÉRIQUE N'A PAS D'ENGRENAGES. L'AFFICHEUR REÇOIT DIRECTEMENT LES IMPULSIONS DE LA PUCE.

AUTREFOIS

Le balancier bat la seconde et un poids, la source d'énergie, fait tourner les roues dentées. Le premier est l'équivalent du quartz, le second de la pile.

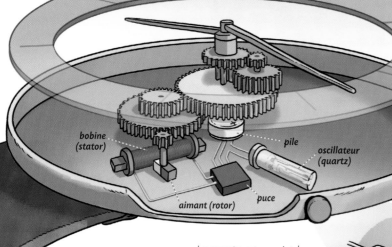

bobine (stator)

pile

oscillateur (quartz)

aimant (rotor)

puce

AUTREMENT

Il existe d'autres principes pour indiquer l'heure. L'ombre du soleil repérée sur un cadran, l'écoulement de l'eau d'une clepsydre ou encore la combustion d'une bougie.

Le **moteur électrique** est un moteur pas à pas : il est constitué d'un stator, la bobine, et d'un rotor, un aimant permanent.

Le **quartz** est un cristal piézoélectrique. Il a la propriété de se déformer s'il est branché sur un circuit électrique. Un courant alternatif le fait ainsi vibrer.

branche de quartz

1 Le courant électrique de la pile fait vibrer le **quartz** à très haute fréquence : 16 384 vibrations par seconde.

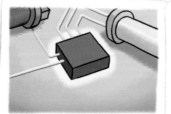

2 Par une série de divisions par deux très rapides (16 384, 8 192, 4 096...), la **puce** diminue la fréquence des vibrations pour repérer le temps de base : une seconde.

3 Chaque seconde, la bobine du **moteur** reçoit une impulsion électrique, ce qui produit une aimantation. Le rotor, un aimant, tourne alors d'un pas et entraîne les roues dentées.

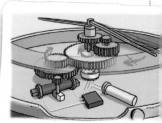

4 Les **engrenages** font tourner l'aiguille des minutes toutes les 60 secondes, 12 fois plus vite que l'aiguille des heures.

30 Piles et batteries électriques

Les piles et les batteries ne contiennent pas d'électricité ; elles en produisent ! Lorsqu'elles alimentent un moteur de jouet, une lampe, un baladeur, les réactions électrochimiques entre leurs composants génèrent des déplacements d'électrons et d'ions, donc de l'électricité.

❶ piles

Une pile classique est constituée de deux demi-piles reliées chacune au pôle positif ou au pôle négatif. Ces deux compartiments séparés correspondent à l'anode et à la cathode. Ils contiennent des substances chimiques différentes et un électrolyte qui laisse passer les ions.

Dans l'**électrolyte**, les ions (des atomes chargés électriquement) se déplacent. Dans le fil électrique, les électrons se déplacent.

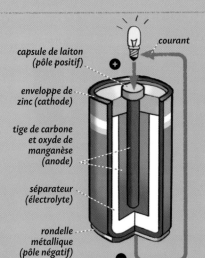

courant

capsule de laiton (pôle positif)

enveloppe de zinc (cathode)

tige de carbone et oxyde de manganèse (anode)

séparateur (électrolyte)

rondelle métallique (pôle négatif)

Dès que la pile est reliée à une lampe, un moteur ou un circuit électronique, une **réaction chimique** entraîne le déplacement des électrons d'une électrode à l'autre. L'électricité produite alimente ces appareils.

> **C'EST UNE TRANSFORMATION D'ÉNERGIE CHIMIQUE EN ÉNERGIE ÉLECTRIQUE.**

montage en série
Dans une torche électrique, trois piles de 1,5 V montées en série correspondent à une pile de 4,5 V, comme une pile plate. La plupart des piles sont composées de plusieurs éléments en série.

❷ batteries

Les batteries ou accumulateurs, qu'on appelle parfois à tort « piles rechargeables », effectuent la réaction électrochimique inverse. L'énergie électrique est transformée en énergie chimique.

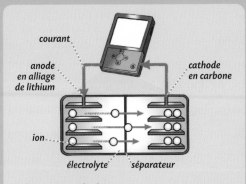

courant

anode en alliage de lithium

cathode en carbone

ion

électrolyte   séparateur

la batterie se décharge
Quand le MP3 fonctionne, la batterie se décharge. Lorsque tous les ions de lithium de l'anode sont passés sur la cathode, la batterie est vide.

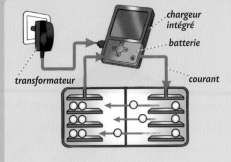

chargeur intégré

batterie

transformateur

courant

la batterie est rechargée
Pour la recharger, le chargeur intégré du MP3 produit la réaction électrochimique inverse. Le déplacement des ions restaure l'état initial des électrodes.

Applications

Les piles et les batteries ont des performances différentes (tension électrique, capacité, durée...) selon les réactifs qui les composent et selon leur quantité. Les usages dépendent aussi de la consommation des appareils : une montre consomme moins qu'une manette de jeu ou qu'un ordinateur.

batterie de voiture
C'est en fait une **série de batteries**. Les électrodes sont en plomb et l'électrolyte est une solution d'acide sulfurique. Au démarrage, la batterie se décharge ; en roulant, elle se recharge.

pile de calculette
L'intérêt de la **pile bouton** est sa miniaturisation. Elle convient pour les appareils qui consomment peu d'énergie électrique. Selon leur durée de vie et leur prix, elles utilisent différents matériaux.

pile de lampe de poche
Les lampes utilisent des **piles plates**. Dans une **pile saline**, l'électrolyte est un composé salin (chlorure de zinc...), dans une **pile alcaline**, c'est une solution basique contenant un métal alcalin (lithium, sodium...).

La manette, c'est la télécommande de la console, Pʳ Colza ?

Tout à fait, Julia, mais c'est bien plus que ça ! Grâce à des capteurs, la position et les mouvements de la manette sont repérés par la console et traduits dans le jeu à l'écran.

Les **connecteurs** permettent les entrées d'informations des manettes et les sorties vers l'écran et les haut-parleurs.

La **carte électronique** regroupe les trois composants principaux : le microprocesseur, la mémoire et la carte graphique.

❶ Le **lecteur** lit le disque correspondant au jeu. Le générique du jeu s'affiche à l'écran.

La manette est interactive : grâce à sa **carte électronique**, elle envoie par bluetooth des informations à la console et en reçoit en retour.

Le **haut-parleur** et le **vibreur** informent le joueur des événements.

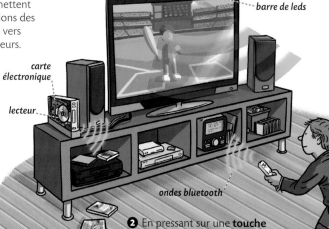

barre de leds

carte électronique

lecteur

ondes bluetooth

❷ En pressant sur une **touche** ou en bougeant la **manette**, on envoie une information au microprocesseur.

champ électrique

capteur

lame

accélération

❹ Une nouvelle image s'affiche alors à l'**écran**, un son est émis ou le vibreur de la manette est actionné.

CE TRAITEMENT EST EXÉCUTÉ DES MILLIONS DE FOIS PAR SECONDE !

❸ Le **microprocesseur** analyse la commande reçue et réagit selon les instructions du programme de jeu.

L'**accéléromètre** interprète les mouvements du joueur. Il est composé de capteurs et d'une lame en plastique, placée dans un champ électrique.

Lors d'une **accélération**, la lame bouge. Les capteurs détectent les variations électriques.

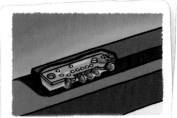

❶ La **barre de leds** émet constamment deux points lumineux invisibles. Comme elle est fixe, ces points sont des repères.

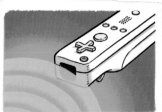

❷ Le **capteur** de la manette est une sorte d'œil avec un million de pixels. Il capte les deux points émis.

❸ Lorsque la **manette** bouge, se rapproche ou s'éloigne de l'écran, son œil voit les points proches, distants, inclinés...

❹ Grâce à ce repérage, la position et l'orientation de la manette sont calculées et transmises à la **console** qui adapte le jeu à l'action du joueur.

La réalité augmentée

Grâce à la réalité augmentée, l'hélicoptère vole dans la pièce, Pr Siphon ?

C'est une impression ! Tout se passe sur l'écran de ton ordinateur. Mais grâce au logiciel, les pages de ton livre s'animent selon le scénario qui a été programmé : l'hélicoptère décolle et le bateau fend les vagues !

❶ Sur l'ordinateur, on branche une webcam et on lance le **programme** de réalité augmentée.

❷ On présente à la **webcam** une des pages du livre qui a fait l'objet d'une animation : celle de l'hélicoptère, par exemple.

C'EST MAGIQUE ! ON PEUT OBSERVER L'HÉLICOPTÈRE SOUS TOUTES LES COUTURES ; IL SUFFIT DE BOUGER LA WEBCAM OU LE LIVRE...

❺ À l'**écran**, un hélicoptère en 3D apparaît sur la page selon le scénario prévu.

UN INFOGRAPHISTE A AU PRÉALABLE RÉALISÉ UNE ANIMATION 3D DE L'HÉLICOPTÈRE EN S'INSPIRANT DE L'ILLUSTRATION DE LA PAGE.

❸ Aussitôt, l'image de l'hélicoptère est reconnue par le logiciel. C'est ce qu'on appelle le « **tracking** ».

❹ L'ordinateur lance alors l'**animation**.

Comme dans un jeu vidéo, on peut **piloter** l'hélicoptère. En fonction des commandes envoyées par le clavier, le microprocesseur de l'ordinateur calcule la position et l'orientation de l'hélicoptère par rapport à la page.

❶ La page filmée par la **webcam** est transmise sous forme de données numériques à l'**ordinateur**, et plus particulièrement à la carte d'acquisition vidéo.

❷ La **carte graphique 3D** crée une fenêtre qu'il remplit avec l'image provenant de la caméra et l'image de l'hélicoptère 3D comme s'il était filmé par la caméra.

❸ Le **logiciel de réalité augmentée** reconnaît l'image dans la séquence vidéo. Il isole cette image et calcule la position et l'orientation de l'hélicoptère en temps réel.

❹ C'est ce qui va déterminer l'emplacement de l'animation 3D ainsi que l'angle sous lequel on va voir l'hélicoptère. L'**animation 3D** est plaquée sur la page.

Les jouets radio- ou télécommandés

Comment se fait-il que les manettes ne commandent que mon jouet, Pr Colza ?

Ta télécommande envoie des ondes qui ne sont interprétées que par ton jouet car l'émetteur et le récepteur constituent une paire. Et cela est vrai, que ta console émette des ondes radio ou de la lumière infrarouge !

❶ hélicoptère télécommandé

Il est piloté à distance grâce à une télécommande infrarouge.

Le **stabilisateur** maintient l'hélicoptère à l'horizontale.

❸ L'hélice du **rotor principal** se visse dans l'air et fait monter l'hélicoptère.

Si l'hélice du **rotor de queue** tourne vite, l'hélicoptère va à droite, si elle ralentit, il va à gauche.

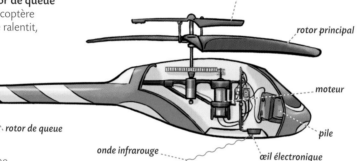

rotor principal

moteur

rotor de queue

pile

onde infrarouge

œil électronique

❶ Lorsqu'on actionne les manettes de la **télécommande**, on envoie une onde infrarouge à l'hélicoptère.

❷ L'**œil électronique** reçoit l'onde. Les composants électroniques traitent l'information et commandent les moteurs des hélices.

LE ✚ DU Pr COLZA

Les radiocommandes ne sont pas utilisées que pour les jouets. On peut piloter un avion furtif de surveillance et même les robots d'exploration des planètes !

❓ DEVINETTE

Pourquoi, lors d'une course, un drapeau est-il accroché aux antennes des consoles ?

Ce sont des drapeaux de fréquence qui indiquent le réglage de l'émetteur de chaque voiture. Tous les drapeaux sont différents pour que chaque voiture ne soit commandée que par un pilote, et ainsi éviter mélanges et pertes de contrôle.

LE ✚ DU Pr SIPHON

Les télécommandes à infrarouge ont une portée plus faible que celles à ondes radio, souvent de l'ordre de quelques mètres. On les utilise plutôt à l'intérieur car le soleil émet aussi ces ondes lumineuses.

❷ voiture radiocommandée

Équipée d'une antenne, la voiture est pilotée de loin par des ondes radio.

ondes radio

antenne

direction

moteur

antenne

circuit électronique

❶ Une des **manettes** pilote la direction, l'autre commande le moteur.

❷ L'**antenne** de la console envoie les ordres sous forme d'ondes radio.

❸ Les ondes reçues sont interprétées par un **circuit électronique**.

❹ Des moteurs, les **servomoteurs**, exécutent les commandes.

tiges

servo des gaz

servo de direction

❺ Des **tiges** actionnent l'accélérateur ou bien la direction.

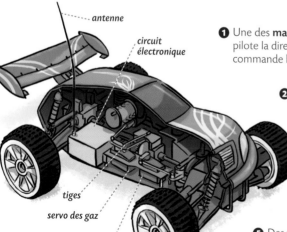

34 Les ondes électromagnétiques

Les ondes électromagnétiques sont des vibrations invisibles émises naturellement par le Soleil ou bien produites artificiellement par les appareils électroniques comme la radio ou le téléphone portable, équipés d'antennes pour les émettre ou les recevoir.

Le spectre électromagnétique

Les ondes se distinguent par leur longueur (la distance entre deux vibrations) et leur fréquence (le nombre de vibrations par seconde). Le spectre électromagnétique distingue ces ondes selon leur fréquence.

La **lumière blanche** et les lumières colorées de l'**arc-en-ciel** sont aussi des ondes électromagnétiques !

Les **rayons X** sont produits par les électrons des atomes et les **rayons gamma** par leur noyau.

ligne à haute tension	radio	télévision	téléphone portable	radar	four à micro-ondes	Saturne	lumière visible	radiographie	explosion nucléaire

lumière visible

basses fréquences — fréquences radio — hautes fréquences — micro-ondes — infrarouges — ultraviolets — rayons X et gamma

Une fréquence de 1 kHz (kilohertz) signifie 1 000 oscillations par seconde.

Les ondes **basses fréquences** sont émises par tout objet parcouru par un courant électrique.

Les ondes **hautes fréquences** sont par exemple utilisées dans les transmissions aériennes ou maritimes.

Les corps chauds émettent des **rayonnements infrarouges.**

Le rayonnement **ultraviolet**, invisible à l'œil nu, est en revanche vu par certains insectes.

LA VOIX N'EST PAS UNE ONDE ÉLECTROMAGNÉTIQUE MAIS UNE ONDE MÉCANIQUE, TRANSMISE PAR LES VIBRATIONS DE L'AIR.

Application

Les ondes radio-électriques (ou ondes radio) sont une perturbation du champ électromagnétique, produite par une antenne. Dans l'atmosphère, elles se propagent à la vitesse de la lumière. Elles sont le support des sons ou des images de la télévision, du téléphone ou de la radio dont on voit le fonctionnement ci-contre.

❶ La **voix** de l'animateur est transformée en **signaux électriques** qui sont associés à un signal porteur produit par un circuit électronique.

❸ L'**onde** est réfléchie par les montagnes ou les immeubles. Comme elle s'amortit, elle est amplifiée par des **antennes relais**.

❺ Les circuits électroniques de la **radio** convertissent ce signal en paroles ou musique.

❷ Ces signaux excitent les électrons de l'antenne de l'émetteur : l'**onde électromagnétique** est produite et émise.

❹ L'**antenne** de l'autoradio ou de l'appareil radio reçoit l'onde. L'agitation des électrons reproduit le signal électrique de l'émetteur.

Le **tuner** de l'autoradio détecte automatiquement les fréquences des différentes stations.

Pourquoi les pommes de terre cuisent-elles plus vite dans un autocuiseur ?

C'est vrai qu'elles n'ont pas le temps de mijoter, Julia ! Dans la cocotte, l'augmentation de pression entraîne une augmentation de la température, ce qui accélère la cuisson.

Dans un autocuiseur, sous pression, l'ébullition de l'eau a lieu à environ 120 °C, et non 100 °C comme dans une casserole ordinaire. L'eau est ainsi beaucoup plus chaude et la cuisson plus rapide.

❶ Dans la cocotte, l'eau chauffe. Elle bout et se transforme en vapeur. **La pression augmente.**

❷ Lorsque la température atteint environ 120 °C, la pression soulève la **soupape** et la fait tourner. Grâce à la soupape, l'autocuiseur ne peut pas exploser.

étrier

joint d'étanchéité en caoutchouc

POURQUOI LA SOUPAPE TOURNE-T-ELLE, Pᴿ COLZA ?

LA VAPEUR D'EAU SORT PAR DEUX PETITS TROUS OPPOSÉS. La poussée de la vapeur fait tourner la soupape, comme la poussée de l'eau fait tourner un arroseur de jardin.

❸ La soupape de sécurité peut se déclencher en cas de **surpression accidentelle**, par exemple lorsque la soupape principale est bouchée.

AUTREMENT

Le couvercle ne doit ni laisser échapper la vapeur, ni exploser sous la pression. Il est bloqué par un étrier, serré par des mâchoires ou emboîté sur la cocotte.

fermeture par clipsage

fermeture par baïonnette

AUTREFOIS

En 1679, Denis Papin invente le digesteur. Cet ancêtre de l'autocuiseur, avec sa soupape de sécurité, n'est devenu la cocotte-minute qu'en 1953 lorsqu'on a pu la produire industriellement.

LE ➕ DU Pᴿ SIPHON

La haute température permet de stériliser le linge, les ustensiles de cuisine et de chirurgie ou encore les conserves alimentaires. On utilise alors des marmites sous pression qu'on appelle « autoclaves ».

La cafetière

Qu'est-ce qui différencie **tous ces modèles de cafetières, Pr Siphon ?**

La plupart des cafetières **font le café par percolation :**
l'eau très chaude se fraye un chemin à travers les grains
de café et en extrait les composants aromatiques. Pour
les expressos, ce passage s'effectue sous pression.

Une cafetière automatique

répète le cycle pour
chaque tasse : pompage
et chauffage de l'eau,
percolation à haute
pression de la dosette.
Des capteurs permettent
de gérer la température
et la quantité d'eau.

réservoir

carte électronique

pompe

alimentation en eau

ICI, LE CAFÉ EST OBTENU
PAR INFUSION : LE CAFÉ
MOULU EST MÉLANGÉ
AVEC L'EAU, COMME
POUR LE THÉ !

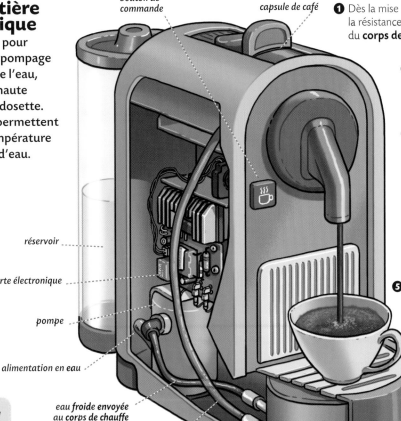

bouton de commande

capsule de café

eau froide envoyée au corps de chauffe

vapeur envoyée vers le café

corps de chauffe

❶ Dès la mise en marche,
la résistance électrique
du **corps de chauffe** est activée.

❷ À 135 °C, la **pompe**
électromécanique
est commandée.

❸ Les oscillations du
piston aspirent l'eau du
réservoir et la dirigent
vers le corps de chauffe.

❹ L'**eau** froide circule dans
un serpentin noyé dans
le corps de chauffe.

❺ La vapeur d'eau emprisonnée
dans un espace réduit monte
en **pression** et traverse le café.

❻ Le café coule
dans la tasse.

❼ Grâce au **débitmètre**
qui mesure la dose
d'eau, la pompe
s'arrête.

AUTRES CAFETIÈRES

cafetière à filtre

L'eau est admise par
petites doses dans
le puits chauffé par
une **résistance**. La
vapeur monte dans
le tuyau. Elle tombe
en une pluie régulière
sur le café moulu.

cafetière turque

En abaissant
le **piston troué**,
on sépare le
liquide du café
moulu, appelé
« marc ».

cafetière italienne

Dans le **vase**
inférieur, l'eau
chauffe. Le volume
de la vapeur
augmente, ce qui
fait monter l'eau
dans le tuyau.

En montant,
l'eau traverse
le café moulu
et le filtre.
Dans le **vase**
supérieur,
le café est prêt !

C'est magique, Pr Colza ! Les toasts sautent lorsqu'ils sont grillés !

Automatique, Théo, pas magique ! À l'intérieur du grille-pain, il y a un thermostat qui règle le temps de chauffage et un aimant commandé par le courant électrique, ou électroaimant, qui déclenche le ressort d'éjection.

Le grille-pain fonctionne grâce à deux circuits reliés entre eux : le circuit d'allumage et le circuit d'extinction.

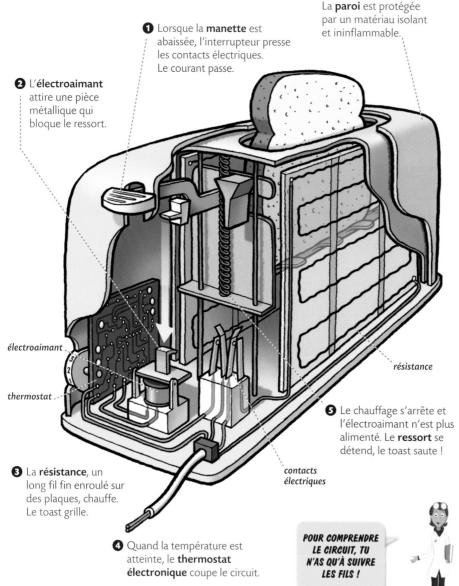

❶ Lorsque la **manette** est abaissée, l'interrupteur presse les contacts électriques. Le courant passe.

La **paroi** est protégée par un matériau isolant et ininflammable.

❷ L'**électroaimant** attire une pièce métallique qui bloque le ressort.

❸ La **résistance**, un long fil fin enroulé sur des plaques, chauffe. Le toast grille.

❹ Quand la température est atteinte, le **thermostat** **électronique** coupe le circuit.

❺ Le chauffage s'arrête et l'électroaimant n'est plus alimenté. Le **ressort** se détend, le toast saute !

électroaimant

thermostat

résistance

contacts électriques

POUR COMPRENDRE LE CIRCUIT, TU N'AS QU'À SUIVRE LES FILS !

EXPÉRIENCE

Fabriquer un électroaimant, c'est très simple ! Il suffit d'enrouler un fil électrique autour d'une tige métallique, comme un gros clou, et de le brancher à une pile. Attention, ça peut brûler !

AUTREMENT

Certaines grues sont équipées d'un électroaimant. C'est très pratique pour transporter de la ferraille car l'aimant fonctionne sur commande : il saisit ou libère sa charge.

AUTREFOIS

Les sonnettes d'autrefois utilisaient aussi un électroaimant : il actionnait le marteau qui frappait la cloche. De la même façon, les serrures électromécaniques qui condamnent les portes des voitures ou des fours électriques lors des pyrolyses intègrent un électroaimant.

38 Les mécanismes

Un grille-pain, un batteur à œufs, une serrure, une bicyclette... fonctionnent grâce à des mécanismes. Ce sont des ensembles de pièces qui transmettent ou transforment le mouvement et qui diminuent ou augmentent les forces. Dans les objets usuels, on trouve leviers, vis sans fin, roues dentées, manivelles... souvent combinés.

❶ levier – le décapsuleur

Formé d'une pièce rigide pouvant tourner autour d'un appui, il permet de soulever des charges sans efforts.

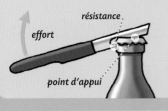

résistance

effort

point d'appui

> PLUS LE BRAS DU LEVIER EST LONG, MOINS L'EFFORT À FOURNIR EST IMPORTANT.

❷ vis – le tire-bouchon

Grâce à la vis, une rotation se transforme en translation.

Lorsqu'on tourne la poignée, la **vis** s'enfonce dans le bouchon.

La tige descend, les dents de la **crémaillère** entraînent celles des bras, qui se lèvent.

Les bras sont des **leviers**. Ils permettent de lever le bouchon plus facilement.

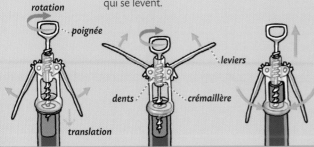

rotation

poignée

leviers

dents

crémaillère

translation

❸ vis sans fin – le batteur à œufs

En tournant, elle entraîne les dents d'un engrenage.

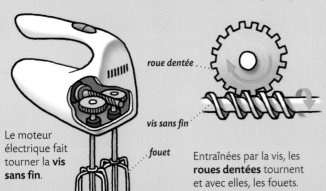

roue dentée

vis sans fin

fouet

Le moteur électrique fait tourner la **vis sans fin**.

Entraînées par la vis, les **roues dentées** tournent et avec elles, les fouets.

❹ engrenage – le panier à salade

C'est un ensemble de roues dentées. Les dents de l'une entraînent les dents de l'autre. Selon le diamètre des roues, la vitesse est multipliée ou divisée.

La **manivelle** fait tourner la grande roue, qui entraîne la petite roue.

Comme la **grande roue** a trois fois plus de dents, à chaque fois qu'elle fait un tour, la petite roue en fait trois.

L'**étrier**, constitué des trois bras, est mis en mouvement : le panier tourne à la vitesse de la petite roue.

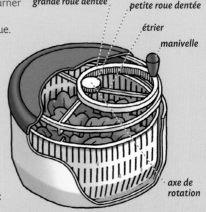

grande roue dentée

petite roue dentée

étrier

manivelle

axe de rotation

La salade est plaquée contre les parois par la **force centrifuge**. L'eau est expulsée.

❺ bielle – le couteau électrique

Grâce à la bielle, une rotation se transforme en un mouvement de va-et-vient.

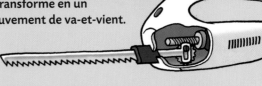

L'axe du moteur se termine par une **vis sans fin**. Le mouvement de rotation est transmis à la **roue dentée**.

L'**ergot** de chaque roue tourne avec la roue dentée. Il entraîne la **bielle** qui porte la lame, la tirant, puis la poussant.

Grâce au mouvement de **va-et-vient** des deux lames, les dents cisaillent la viande.

vis

bielle

ergot

roue

sens de rotation

En quelques minutes, on réchauffe un plat de pâtes. Comment est-ce possible ?

C'est simple ! Les micro-ondes agitent les molécules de l'eau contenue dans les pâtes, la viande hachée et la sauce. L'échauffement qui en résulte augmente la température du plat préparé.

❶ Grâce aux effets de ses puissants aimants et de l'électrisation de ses pièces à très haute tension, le **magnétron** produit les micro-ondes.

❷ Un **tube** métallique dirige les ondes vers l'agitateur.

agitateur

magnétron

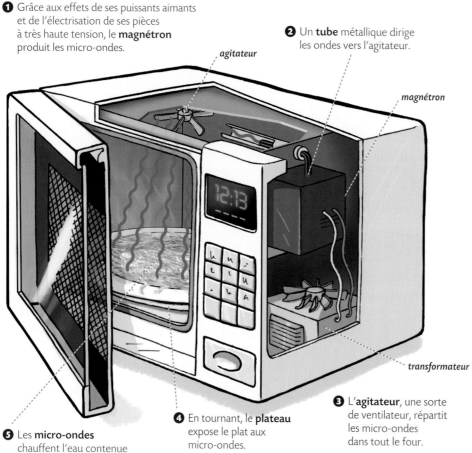

transformateur

❺ Les **micro-ondes** chauffent l'eau contenue dans les aliments.

❹ En tournant, le **plateau** expose le plat aux micro-ondes.

❸ L'**agitateur**, une sorte de ventilateur, répartit les micro-ondes dans tout le four.

DEVINETTE

Pourquoi un œuf explose-t-il dans un four à micro-ondes ?

La transformation de l'eau en vapeur augmente la pression à l'intérieur de la coquille, qui explose.

ANECDOTE

Dans les années 1940, l'ingénieur Percy Spencer travaillait à l'amélioration des radars anti-aériens grâce aux ondes très courtes. Il constate qu'à proximité de ces antennes, du chocolat fondait. Il essaya avec des grains de maïs, qui se transformèrent vite en pop-corn. Le four à micro-ondes était né !

Les **molécules d'eau** (H_2O) sont composées d'atomes d'hydrogène (H) et d'oxygène (O).

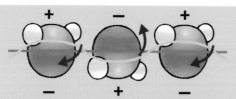

+ − +

− + −

Sous l'action des ondes, les charges positives et négatives sont attirées dans un sens ou dans l'autre. Les molécules d'eau se retournent près de trois milliards de fois par seconde. Il en résulte un **échauffement**. Les graisses, les sucres et les protéines des aliments chauffent à leur tour.

POURQUOI NE FAUT-IL PAS OUBLIER DE FOURCHETTE DANS LE FOUR ?

SI UNE SURFACE MÉTALLIQUE bien plane, comme la paroi du four, est censée renvoyer les micro-ondes, les aspérités de certains objets en métal, comme les dents de la fourchette, peuvent provoquer des étincelles dangereuses pour l'appareil.

La plaque à induction

La casserole chauffe, mais la plaque presque pas. C'est incroyable, Pr Siphon !

Sous la plaque, il y a des sortes d'aimants qui excitent l'acier de la casserole. Celle-ci devient vite très chaude. La matière de la plaque, elle, n'est pas excitée ; c'est la chaleur communiquée par la casserole qui la fait tiédir.

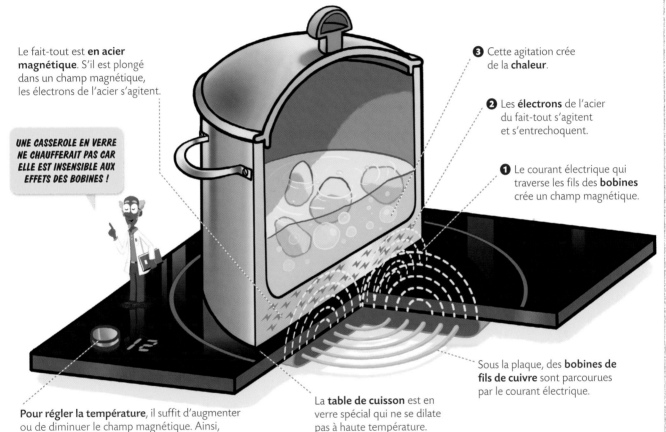

Le fait-tout est **en acier magnétique**. S'il est plongé dans un champ magnétique, les électrons de l'acier s'agitent.

UNE CASSEROLE EN VERRE NE CHAUFFERAIT PAS CAR ELLE EST INSENSIBLE AUX EFFETS DES BOBINES !

❸ Cette agitation crée de la **chaleur**.

❷ Les **électrons** de l'acier du fait-tout s'agitent et s'entrechoquent.

❶ Le courant électrique qui traverse les fils des **bobines** crée un champ magnétique.

Sous la plaque, des **bobines de fils de cuivre** sont parcourues par le courant électrique.

La **table de cuisson** est en verre spécial qui ne se dilate pas à haute température.

Pour régler la température, il suffit d'augmenter ou de diminuer le champ magnétique. Ainsi, les électrons sont plus ou moins agités.

AUTRES PLAQUES DE CUISSON

plaque électrique

La plaque en acier est chauffée par la **résistance électrique** placée en dessous. L'électricité, qui traverse la résistance, produit une excitation de ses atomes. Elle chauffe, rougit et communique sa chaleur à la plaque.

plaque en vitrocéramique

Contrairement à la plaque à induction, qui lui ressemble, la plaque en vitrocéramique devient vite très chaude ! Ce sont des **lampes** ou des **résistances électriques** qui lui transmettent leur chaleur.

plaque à gaz

Les flammes chauffent directement la casserole. Dans le **brûleur**, un mélange de gaz et d'air est enflammé. La combustion donne une flamme bleue brûlante (environ 1 000 °C).

Derrière la porte, on entend de drôles de bruits... Qu'est-ce que c'est ?

Si la porte était transparente, tu comprendrais le cycle automatique de lavage, de rinçage et de séchage. Tu verrais aussi les bras qui aspergent la vaisselle. La pompe, elle, resterait cachée car elle est sous la cuve.

❶ La cuve se remplit. Un **capteur** détecte le niveau d'eau et stoppe l'arrivée d'eau.

❷ La **résistance électrique** chauffe l'eau. Le thermostat arrête le chauffage dès que la température est atteinte.

❼ La **résistance** chauffe la cuve et la vaisselle. C'est le séchage.

La **cuve** est en acier inoxydable : elle ne peut pas rouiller.

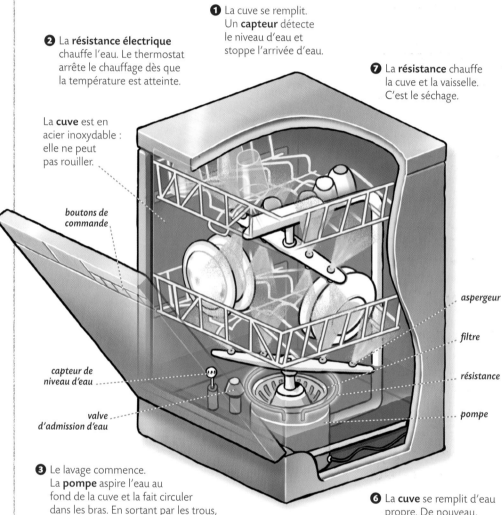

boutons de commande

capteur de niveau d'eau

valve d'admission d'eau

aspergeur

filtre

résistance

pompe

❸ Le lavage commence. La **pompe** aspire l'eau au fond de la cuve et la fait circuler dans les bras. En sortant par les trous, l'eau sous pression les fait tourner. La vaisselle est aspergée.

❺ La **pompe** évacue l'eau de lavage. C'est la vidange.

❻ La **cuve** se remplit d'eau propre. De nouveau, la résistance chauffe l'eau. Le ballet des bras recommence pour le rinçage.

❹ Des **jets d'eau** décollent les salissures. Les produits de nettoyage dissolvent les graisses.

> UN LAVE-VAISSELLE CONSOMME ASSEZ PEU D'EAU : ENVIRON UN SEAU POUR LE LAVAGE ET UN AUTRE POUR LE RINÇAGE.

DEVINETTE

Quelle est la différence entre un lave-vaisselle et une station de lavage ?

Le fonctionnement est le même. La seule différence est qu'au garage, les étapes s'effectuent successivement dans un tunnel, comme dans les lave-vaisselle des restaurants.

AUTREMENT

Certains éviers sont des lave-vaisselle. Ils nettoient grâce à des ultrasons : les vibrations décollent les salissures !

LE ➕ DU Pᴿ SIPHON

Le traitement de l'eau et les produits de rinçage rendent l'eau moins calcaire. Elle glisse et ne laisse pas de traces sur les verres.

Derrière le réfrigérateur, c'est chaud ! **Comment ça se fait, Pʳ Siphon ?**

En fait, un réfrigérateur ne fait pas que produire du froid : il prélève la chaleur des aliments à l'intérieur et la restitue à l'extérieur. Cela explique que l'arrière d'un réfrigérateur chauffe.

Les échanges de chaud et de froid sont effectués grâce à un fluide frigorigène (produisant du froid) qui circule dans le réfrigérateur en changeant d'état.

SANS CES MOUVEMENTS DE CONVECTION, LES ALIMENTS DU HAUT SERAIENT GELÉS ET CEUX DU BAS SERAIENT TIÈDES !

En raison des **différences de température** entre le haut et le bas du réfrigérateur, l'air circule à l'intérieur : l'air chaud monte, l'air froid descend. Ce sont les **mouvements de convection**.

détendeur

évaporateur

thermostat

❶ Dans l'**évaporateur**, le fluide, liquide, chauffe au contact des aliments et devient gazeux.

Lorsqu'on ouvre la porte, la température intérieure augmente. Le **thermostat** déclenche le compresseur. Le fluide est mis en mouvement.

mouvement de convection

condenseur

Les aliments transmettent leur chaleur au fluide très froid au niveau de l'**évaporateur**. En chauffant, le fluide devient gazeux.

❷ Dans le **compresseur**, le fluide, gazeux, est comprimé et propulsé dans le condenseur.

Le fluide circule dans la longue **tubulure** jusqu'à ce que la température soit assez basse pour bien conserver les aliments. Le thermostat arrête alors le compresseur.

❸ Dans le long serpentin extérieur du **condenseur**, le fluide se refroidit et redevient liquide. L'arrière du réfrigérateur chauffe !

circuit d'alimentation

❹ Au niveau du **détendeur**, le diamètre du tuyau augmente. La pression diminue, la température aussi. Le fluide, liquide, est alors très froid.

moteur

compresseur

QUESTION de PRINCIPE

Les changements d'état de la matière

La matière peut se trouver à l'état solide, liquide ou gazeux. Elle peut changer d'état en fonction de la température et de la pression. C'est la cohésion plus ou moins forte des atomes ou des molécules entre eux qui est à l'origine de ces différents états. Prenons l'exemple de l'eau.

Dans la glace, les molécules d'eau sont très fortement assemblées entre elles. C'est l'**état solide**.

L'eau **liquide** est composée de molécules dont les liaisons entre elles sont plus faibles.

Dans le **brouillard**, les molécules, indépendantes, sont dispersées.

Robinet, siphon et chauffe-eau

Comment l'eau sort-elle des robinets et où va-t-elle, Pr Colza ?

L'eau propre provient de deux tuyaux, Julia : un pour l'eau chaude et un pour l'eau froide. Mais un seul suffit pour les eaux usées. Les coudes des tuyaux évitent les mauvaises odeurs.

❶ robinet à clapet

Il permet de régler le débit d'eau.

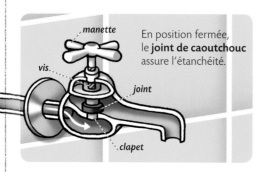

En position fermée, le **joint de caoutchouc** assure l'étanchéité.

manette

vis

joint

clapet

Lorsqu'on tourne la manette, la **vis** lève plus ou moins le clapet. L'eau coule.

❷ siphon

C'est un double coude dans lequel l'eau fait office de bouchon.

Les mauvaises odeurs du **circuit des eaux usées** ne peuvent pas remonter.

❸ chauffe-eau électrique

Dans le chauffe-eau, une résistance électrique transmet sa chaleur à l'eau du ballon.

arrivée d'eau froide

sortie d'eau chaude

mouvement de convection

❶ L'eau froide arrive **en bas** de l'appareil où elle est chauffée par une résistance.

❷ Par des **mouvements de convection**, l'eau chaude monte.

❸ Lorsqu'un robinet d'eau chaude est ouvert, l'eau chaude est évacuée. Simultanément, l'eau froide remplit le **réservoir** et chauffe.

Les **résistances électriques** sont en contact direct avec l'eau.

La **sonde thermostatique** déclenche l'allumage de la résistance.

Le **réservoir** est enveloppé d'un matériau isolant. Ainsi, l'eau est gardée au chaud.

❹ robinet thermostatique

Grâce au mitigeur thermostatique, l'eau est toujours à la température choisie.

arrivée d'eau chaude

arrivée d'eau froide

clapet

cartouche

❶ Le **bouton de réglage** de la température positionne le mécanisme.

❷ L'eau chaude et l'eau froide arrivent dans le **robinet**.

❸ Selon la température du mélange, la **cartouche** se dilate ou se rétracte.

❹ Le **clapet** se déplace et laisse passer plus ou moins d'eau chaude ou d'eau froide.

J'appuie sur un bouton, le réservoir se vide. Mais comment se remplit-il ?

C'est automatique, Théo ! Grâce à un flotteur, le robinet d'arrivée d'eau se ferme tout seul lorsque le niveau est atteint. Le remplissage est plus ou moins important selon que tu as appuyé sur le bouton économique ou non.

L'eau du réservoir nettoie la cuvette par son écoulement rapide mais surtout par le tourbillon qu'elle produit.

LE PREMIER BOUTON LIBÈRE 6 LITRES D'EAU, LE SECOND SEULEMENT 3 LITRES. ÉCONOMIQUE !

Grâce à la **butée** du bouton économique, seulement une partie du réservoir se vide.

L'**eau propre** chasse l'eau sale.

bouton économique

boutons de commande

butée

arrivée d'eau

robinet automatique

réservoir

flotteur

bouchon mobile

siphon

Grâce au **siphon**, un bouchon d'eau évite la remontée des mauvaises odeurs.

L'eau sale est dirigée vers le **tout-à-l'égout** ou la fosse septique.

AUTREMENT

Les toilettes sèches sont écologiques et économiques. Elles fonctionnent sans eau comme les composteurs de jardins grâce à l'utilisation des matières végétales (sciure de bois...).

ANECDOTE

Dans ces toilettes japonaises, tout est automatique ! Dès qu'on entre, le couvercle se lève, la lunette chauffe. Un jet d'eau remplace le papier. Certains modèles intègrent même un laboratoire d'analyses !

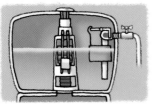

❶ Le **réservoir** est plein. Le bouchon mobile empêche l'eau de s'écouler. Le robinet automatique est maintenu fermé par le flotteur.

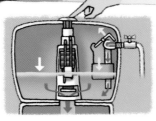

❷ En appuyant sur l'un des **boutons**, on lève le **bouchon mobile**. L'eau s'écoule vite. Le flotteur descend avec l'eau, le robinet s'ouvre.

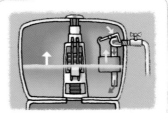

❸ Le **bouchon** ferme le réservoir. Il commence à se remplir jusqu'à ce que le flotteur pousse le **levier** du robinet automatique.

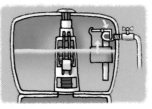

❹ Le levier est poussé. L'eau ne peut plus couler. Le réservoir est plein, le **cycle** peut recommencer.

Le chauffage central

On parle de chauffage central parce qu'il est au centre de la maison, Pr Colza ?

Pas du tout, Théo ! C'est parce que les pièces sont chauffées grâce à un réseau de tuyaux qui distribuent la chaleur produite à un seul endroit. Il se distingue du chauffage pièce par pièce avec des radiateurs électriques.

Le chauffage central assure la production de la chaleur, sa distribution dans les pièces et son transfert.

L'eau chaude sanitaire est chauffée par le circuit de la **chaudière** qui traverse le ballon. Ce réservoir d'eau chaude se remplit au fur et à mesure de la consommation.

Dans le circuit de chauffage, c'est toujours **la même eau** qui circule : elle est chauffée par la chaudière, refroidie lors de son passage dans chacun des radiateurs, puis chauffée de nouveau.

La **chaudière** à condensation chauffe à la fois l'eau du chauffage et l'eau sanitaire.

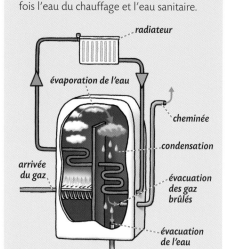

radiateur

évaporation de l'eau

cheminée

condensation

arrivée du gaz

évacuation des gaz brûlés

évacuation de l'eau

La **combustion** produit des gaz et de la vapeur d'eau qui réchauffent l'eau de retour. La vapeur d'eau est alors condensée (transformée en liquide), puis évacuée.

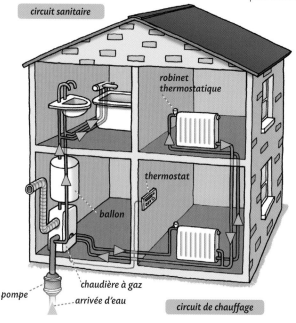

circuit sanitaire

robinet thermostatique

thermostat

ballon

pompe

chaudière à gaz

arrivée d'eau

circuit de chauffage

Les **radiateurs** sont métalliques : ils sont chauffés par l'eau chaude et transfèrent leur chaleur à la pièce à la fois **par convection** et **par rayonnement**.

Le **robinet thermostatique** s'ouvre ou se ferme automatiquement selon la température.

Le **thermostat** déclenche automatiquement la mise en chauffe ou l'arrêt de la chaudière.

AUTRES SYSTÈMES DE CHAUFFAGE

chauffage solaire

Les panneaux solaires thermiques contiennent des serpentins de tubes en cuivre. Chauffé par le soleil, le liquide des capteurs solaires, un mélange d'eau et d'antigel, circule jusqu'à l'échangeur. La chaleur est alors transférée à l'eau d'un ballon de stockage. Le collecteur distribue l'eau chaude vers le plancher ou les radiateurs.

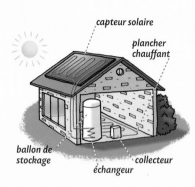

capteur solaire

plancher chauffant

ballon de stockage

échangeur

collecteur

chauffage géothermique

Une pompe à chaleur prélève la chaleur stockée dans le sol ou dans l'eau des nappes souterraines dont la température est d'environ 10 °C. L'eau chaude circule dans le réseau de tubes en plastique du plancher qui assure la diffusion de la chaleur dans les pièces.

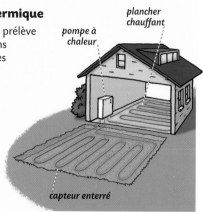

plancher chauffant

pompe à chaleur

capteur enterré

Le radiateur

Comment ça chauffe, un radiateur, Pr Siphon ?

C'est simple, Julia ! Sur la plage, tu as chaud grâce à deux sources de chaleur : les rayons du soleil et l'air en mouvement. C'est le rayonnement et la convection. Les radiateurs combinent souvent les deux.

❶ convecteur

Il chauffe l'air ambiant mis en mouvement par convection.

L'électricité excite les électrons du métal. Ils s'agitent, la **résistance chauffe**.

Les **molécules de l'air chauffé** s'agitent et s'éloignent les unes des autres. L'air chaud, plus léger, monte.

> *LA CHALEUR DE L'EXCITATION DES ÉLECTRONS DU MÉTAL DE LA RÉSISTANCE EST TRANSFÉRÉE AUX MOLÉCULES D'AIR.*

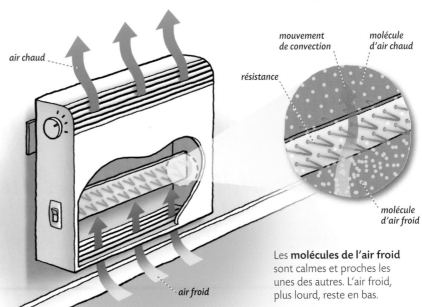

air chaud

mouvement de convection

molécule d'air chaud

résistance

molécule d'air froid

air froid

❸ L'**air chaud**, plus léger que l'air froid, sort par la grille supérieure.

❷ La chaleur de la résistance électrique génère la **convection**.

❶ L'**air froid** entre par le bas du radiateur.

Les **molécules de l'air froid** sont calmes et proches les unes des autres. L'air froid, plus lourd, reste en bas.

❷ radiateur sèche-serviette

Il transmet sa chaleur grâce au rayonnement de lumière infrarouge qu'il émet.

❺ L'eau retenue dans les boucles du tissu éponge se transforme en **vapeur d'eau**. La serviette sèche.

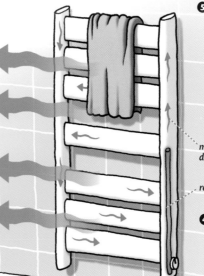

> *LA VAPEUR D'EAU QUI S'ÉCHAPPE DE LA SERVIETTE FORME LA BUÉE SUR LE MIROIR.*

❶ La **résistance électrique** chauffe le fluide.

❷ La chaleur engendre des **mouvements de convection** du fluide dans la colonne.

❸ Le radiateur transmet sa chaleur par **rayonnement**.

mouvements de convection

résistance

❹ Le réglage du **thermostat** et de la **minuterie** permettent de chauffer juste le temps de la douche !

On ne voit aucun mécanisme dans la balance ! Comment ça peut marcher ?

C'est simple, Julia ! Ton poids déforme des capteurs placés dans les quatre pieds du pèse-personne. Cette déformation est mesurée électriquement, puis affichée à l'écran !

Le pèse-personne électronique n'utilise ni ressort ni levier, mais des capteurs dont l'étirement permet de calculer la masse corporelle.

Sous le poids s'affiche la **proportion de graisse**. Grâce aux contacts électriques du plateau, un faible courant électrique traverse le corps. Selon sa valeur, un calculateur détermine la masse grasse et la masse maigre.

affichage

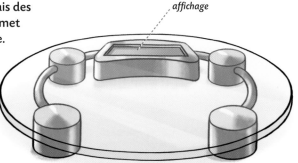

AVEC LA MÉMOIRE, C'EST FACILE DE SUIVRE L'ÉVOLUTION DE SON POIDS !

capteur

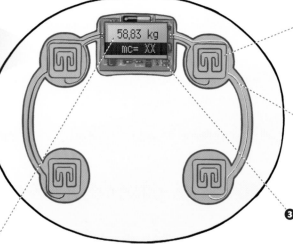

58,83 kg
mc= XX

Les capteurs sont composés de **matériaux piézoélectriques**. Lorsqu'ils sont déformés, leur résistance électrique change. Le courant passe plus ou moins facilement.

❶ Dans chaque pied, la déformation de la plaque métallique entraîne l'étirement du **capteur.**

❷ Cet étirement modifie le courant électrique qui traverse les capteurs. Le poids se transforme en un **signal électrique**.

❸ Ce courant parvient à l'**unité de traitement** et est amplifié.

❺ Un **décodeur** commande l'allumage des segments de l'afficheur. Le poids est affiché.

❹ Il est ensuite converti en une **information numérique**.

AUTRES PÈSE-PERSONNES

pèse-personne mécanique

Sous le poids de la personne, le plateau de la balance s'enfonce et appuie sur un mécanisme constitué de **leviers** et de **ressorts**. L'ensemble fait tourner l'aiguille sur le cadran.

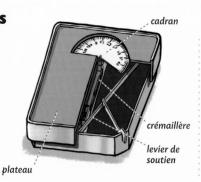

cadran

crémaillère

levier de soutien

plateau

graduations

balance médicale à colonne

Le plateau tire une tige placée dans la colonne et actionne un **levier**. Le déplacement des **contrepoids** sur les règles graduées rétablit l'équilibre du levier et permet de lire le poids.

contre-poids

colonne

plateau

On les utilise chaque jour, mais on ne sait pas comment ils marchent, Pr Siphon !

C'est vrai, Théo ! On ne voit pas toujours les petits secrets qui sont cachés à l'intérieur de ces objets. Ce sont souvent des solutions qu'il faudrait inventer si elles n'existaient pas !

➊ sèche-cheveux

L'eau des cheveux mouillés s'évapore grâce au puissant courant d'air chauffé.

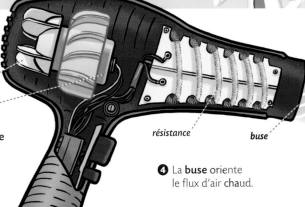

turbine ·····

moteur ·····

résistance ····· buse

> **C'EST COMME UN ASPIRATEUR ASSOCIÉ À UN CONVECTEUR ÉLECTRIQUE !**

➊ Le **moteur électrique** actionne la turbine.

➋ En tournant, la **turbine** aspire l'air par l'arrière.

➍ La **buse** oriente le flux d'air chaud.

➌ Au contact des **résistances électriques**, l'air chauffe.

➋ brosse à dents vibrante

Les 20 000 vibrations par minute de la tête améliorent le brossage des dents.

masselotte ·····

interrupteur

moteur ·····

pile ·····

➊ Le **moteur** fait tourner la **masselotte**, un demi-cylindre métallique **excentré**.

➋ Comme la **masselotte** ne tourne pas rond, le **manche** tremble.

➌ Le mouvement se communique à la **brosse**. Les poils vibrent.

➌ bombe aérosol

Le liquide sous pression sort en fines gouttelettes tant qu'on appuie sur le capuchon.

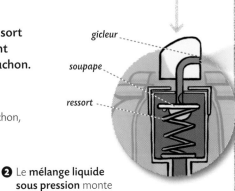

gicleur ·····

soupape ·····

ressort ·····

➊ En appuyant sur le capuchon, on ouvre la **soupape**.

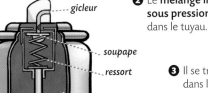

····· gicleur

····· soupape

····· ressort

····· gaz d'expulsion

····· déodorant

····· tuyau

➋ Le **mélange liquide sous pression** monte dans le tuyau.

➌ Il se transforme en gouttelettes dans le minuscule **gicleur**.

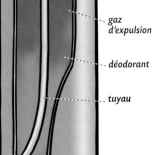

> **C'EST COMME UN VAPORISATEUR DE PARFUM ?**

> **NON, CAR LE PARFUM** n'est pas sous pression. Il faut donc presser le capuchon pour faire entrer de l'air et expulser le parfum.

chapitre 2

LA

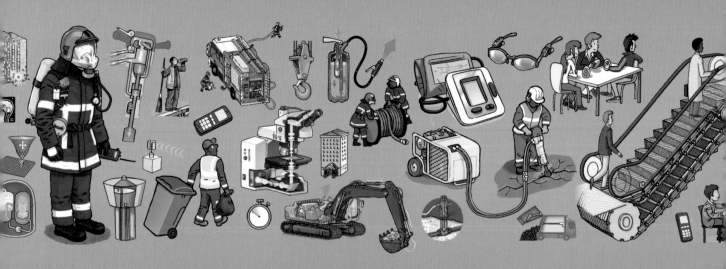

VILLE

49 Le téléphone mobile

Comment peut-on se parler à des milliers de kilomètres, Pr Siphon ?

Téléphoner, c'est se parler à distance, Julia ! Nos paroles, codées en séries de 0 et de 1, suivent un chemin complexe choisi par des ordinateurs : elles franchissent les montagnes et traversent les océans !

❶ téléphone mobile

Sans fil, le téléphone mobile transporte son énergie et son antenne.

La **carte SIM** est une puce qui stocke des informations saisies par l'utilisateur ou l'opérateur : code confidentiel, répertoire... C'est une sorte de serrure de sécurité.

haut-parleur

caméra

alimentation électrique

remise à zéro

puce

lecture et écriture

❶ Les vibrations de la membrane du **micro** transforment la voix et les paroles en un courant électrique.

❷ Un **composant** convertit ce courant électrique en phrases de 0 et de 1.

❸ Le **modulateur** envoie des morceaux de phrases à l'antenne au rythme de 100 par seconde.

La **sonnerie** ou le **vibreur** signalent un appel.

micro

La **batterie** fournit l'énergie électrique.

QUAND ON SE DÉPLACE, ON CONTINUE À COMMUNIQUER EN PASSANT D'UNE CELLULE À L'AUTRE.

❹ L'**antenne** émet ces données numériques.

❺ Lors de la réception, l'**antenne** transmet les données numériques aux composants électroniques.

❻ Ces données sont transformées en courant électrique. La membrane du **haut-parleur** restitue alors les paroles.

11:50

❶ Une fois le numéro composé sur le clavier, il est transmis par les ondes à l'ordinateur de l'**opérateur**.

❷ L'ordinateur identifie l'émetteur grâce aux informations de la **carte SIM** et transmet l'appel.

❸ Lorsque le destinataire décroche ou que sa messagerie se met en marche, la **communication** commence.

❹ En fin d'appel, l'ordinateur arrête le **compteur de temps** et conserve en mémoire la date, l'heure et le numéro de l'appel.

LA VILLE

LA RUE

❷ réseau cellulaire

Selon la distance, la communication téléphonique emprunte différents supports : ondes, fibres optiques, câbles sous-marins ou fils aériens. Des relais sont nécessaires pour amplifier les signaux transmis : les antennes terrestres ou les satellites.

❻ La photo s'affiche sur l'écran du **téléphone sans fil**.

antenne parabolique

MAGIQUE ! LA PHOTO ARRIVE EN QUELQUES SECONDES !

❺ Les données numériques passent ensuite par les **câbles souterrains** ou **aériens** jusqu'à la prise de téléphone.

satellite de télécommunication

❹ La communication est alors relayée par un **satellite** jusqu'à l'antenne du centre d'appels du réseau fixe.

❸ Le **centre d'appels** choisit l'itinéraire le plus rapide selon l'encombrement du réseau. Les données sont transmises à une **antenne parabolique**.

antenne parabolique

Le **réseau cellulaire** est une sorte de damier de cellules hexagonales. Chaque cellule comporte une antenne.

antenne terrestre

En ville, les cellules sont plus petites qu'à la campagne. Le trafic est plus dense !

câble en fils de cuivre ou fibres optiques

centre d'appels

ET HOP ! J'ENVOIE UNE PHOTO À THÉO !

❷ La communication passe de cellule en cellule jusqu'au **centre d'appels** qui gère la transmission des données.

❶ L'**antenne** de la cellule la plus proche reçoit les données numériques correspondant à la photo.

🚲 AUTREFOIS

Les téléphones fixes sont reliés entre eux par un réseau de fils aériens ou souterrains. Autrefois, les deux correspondants étaient mis en relation par une opératrice qui connectait manuellement leurs lignes.

❓ DEVINETTE

Quel est le point commun entre un téléphone portable et une brosse à dents électrique ?

Les deux peuvent vibrer ! Un petit moteur électrique fait tourner une pièce métallique excentrée. L'appareil vibre du fait de ce déséquilibre.

➕ LE ➕ DU Pʳ SIPHON

Le mobile 4G est plus rapide car il utilise l'ultra haut débit. Les messages sont organisés par paquets de données qui empruntent les chemins disponibles des serveurs.

Comment peut-on stocker autant de morceaux de musique sur un si petit lecteur ?

C'est un lecteur numérique, Théo ! Seuls les sons que ton oreille peut entendre sont enregistrés et, de plus, la taille du fichier est réduite : il est compressé. Des composants miniatures, des sons rapetissés, voilà le secret !

CONVERTIR UN SIGNAL NUMÉRIQUE EN ANALOGIQUE, C'EST TRANSFORMER LES INFORMATIONS BINAIRES EN SIGNAL ÉLECTRIQUE.

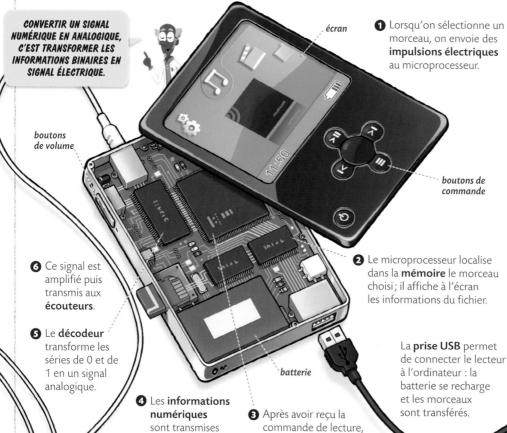

écran

boutons de volume

boutons de commande

batterie

❶ Lorsqu'on sélectionne un morceau, on envoie des **impulsions électriques** au microprocesseur.

❷ Le microprocesseur localise dans la **mémoire** le morceau choisi ; il affiche à l'écran les informations du fichier.

❸ Après avoir reçu la commande de lecture, le **microprocesseur** décompresse le fichier.

La **prise USB** permet de connecter le lecteur à l'ordinateur : la batterie se recharge et les morceaux sont transférés.

❹ Les **informations numériques** sont transmises au décodeur.

❺ Le **décodeur** transforme les séries de 0 et de 1 en un signal analogique.

❻ Ce signal est amplifié puis transmis aux **écouteurs**.

AUTREMENT

La miniaturisation des composants permet d'intégrer les lecteurs MP3 dans tous les accessoires de mode.

LE ⊕ DU Pʳ COLZA

Lorsque l'utilisateur télécharge une musique sur Internet, en payant, il reçoit la clé de décryptage. La musique peut être enregistrée et l'artiste percevoir ses droits d'auteur.

Le **format MP3** d'enregistrement de la musique consiste à supprimer les sons que l'oreille ne peut entendre : il y a moins d'informations et donc moins de place occupée dans la mémoire.

COMMENT COMPRESSE-T-ON UN FICHIER, Pʳ COLZA ?

LA COMPRESSION D'UN FICHIER CONSISTE à traduire les lignes de 0 et de 1 en des lignes plus courtes afin de réduire la place qu'elles occuperont dans la mémoire. Ainsi, la séquence 110000111000 sera traduite 2(1)4(0)3(1)3(0), et donc réduite. La décompression du fichier est la traduction inverse.

Du décodeur à l'écouteur

0010111001 0010

❶ signal numérique ❷ signal analogique ❸ signal amplifié ❹ son audible

Le distributeur automatique

Le distributeur fait ce que je lui dis et me rend la monnaie. Il est super intelligent ?

Pas vraiment, Julia ! Il se contente d'exécuter ta commande : il a été programmé pour, et tout a été prévu : ce qu'il convient de faire si les casiers sont vides, si le produit ne tombe pas. Ou si une des pièces est fausse !

vis sans fin

Un **moteur** fait tourner une grande **vis sans fin**. Lorsqu'elle tourne, le produit avance puis tombe.

cellules photoélectriques

Des **cellules photoélectriques** contrôlent si le produit est bien tombé. Si ce n'est pas le cas, la machine propose un nouveau choix ou rend l'argent.

1 La machine est **en veille**. Les voyants des produits disponibles sont allumés. La machine signale si elle rend ou non la monnaie.

Le tableau de commande intègre le **monnayeur** et la **mémoire** du programme.

La machine est aussi un réfrigérateur. La chaleur est dissipée par la **grille d'aération**.

LES DISTRIBUTEURS DE GLACES OU DE BONNETS DE BAIN FONCTIONNENT DE LA MÊME FAÇON !

2 Le **monnayeur** contrôle d'abord le poids et les matériaux des pièces : il rejette les pièces fausses. Il totalise la somme versée.

3 L'**automate** compare le numéro du produit et le prix. Tant qu'il n'y a pas le compte, il attend. S'il y a assez d'argent, il passe à l'étape suivante.

4 Il compare ensuite le numéro du produit et le **stock** de la machine. Il libère le produit, s'il y en a, et rend la monnaie. Sinon, il le signale.

5 Enfin, l'automate totalise l'**argent en caisse**. Il met son stock à jour. Connecté à un réseau téléphonique, il signale une rupture de stock imminente.

La démolition

Parfois, un immeuble doit être détruit. Comment fait-on, Pr Colza ?

Plusieurs techniques sont possibles, Théo ! On peut soit balancer un boulet de plusieurs tonnes contre les murs, soit pousser les murs, soit faire exploser les piliers. Il reste ensuite à concasser les blocs de béton.

❶ démolition à l'explosif

Grâce au dynamitage des piliers, l'immeuble est foudroyé en moins de cinq secondes.

LES BÂTONS DE DYNAMITE SONT RELIÉS À UNE CONSOLE INFORMATIQUE, COMME POUR LES FEUX D'ARTIFICE !

 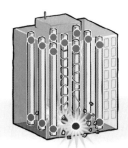 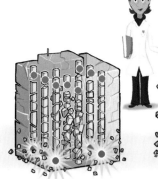 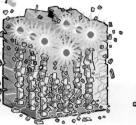

❶ Les bâtons de **dynamite** sont placés sur les piliers. La position et l'ordre dans lequel les piliers doivent exploser dépendent de l'endroit où l'immeuble doit s'écrouler.

❷ Un **détonateur** déclenche la mise à feu des explosifs. Les explosions, espacées d'une à deux secondes, cisaillent les piliers du rez-de-chaussée.

❸ Puis c'est l'étage le plus élevé qui est détruit. Il écrase les étages inférieurs qui tombent à leur tour. L'immeuble s'écroule sur lui-même !

❷ concasseuse

Cette machine réduit en miettes n'importe quel bloc de béton !

❷ Le **cylindre** muni de **couteaux** comprime les blocs contre une paroi d'acier : les blocs se cassent.

❸ Un **tapis roulant** emporte les morceaux cassés.

❹ Un **aimant** retient les armatures métalliques.

❺ Les cailloux passent ensuite sur une **grille**.

moteur

❻ Les plus petits tombent sur le dernier **tapis roulant**.

❶ Une **pelleteuse** charge les énormes blocs de béton.

L'**armoire de commande** permet de régler la taille des débris et la vitesse de la machine.

❼ Les **cailloux** encore trop gros retournent dans le ventre de la machine.

LES DÉCHETS SONT PAR EXEMPLE UTILISÉS POUR CONSTRUIRE LES AUTOROUTES !

Le camion poubelle

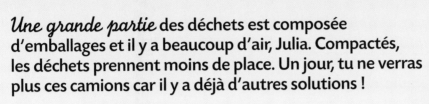

Comment ce camion peut-il contenir les ordures de tout le quartier, Pr Siphon ?

Une grande partie des déchets est composée d'emballages et il y a beaucoup d'air, Julia. Compactés, les déchets prennent moins de place. Un jour, tu ne verras plus ces camions car il y a déjà d'autres solutions !

Le camion poubelle compacte les déchets grâce à une paroi mobile très lourde poussée par des vérins.

Un **bruiteur** sonne lorsque le camion recule.

Des **boutons** permettent d'informer le chauffeur qu'il peut redémarrer.

La **benne** est insonorisée.

La **partie arrière** se lève pour vider la benne.

Fixées aux **étriers**, les poubelles sont soulevées, secouées et vidées dans la benne.

AUTREMENT

Certaines villes sont déjà dotées d'un système de collecte pneumatique. Jetés dans une borne, les déchets sont aspirés dans des canalisations jusqu'au centre de traitement.

LE ➕ DU Pr COLZA

Le tri sélectif des ordures ménagères permet de valoriser les déchets quotidiens. Le papier est ainsi recyclé, les bouteilles en plastique sont transformées en pull-overs, le verre et le métal redeviennent des matières premières.

paroi mobile

1 Les poubelles du quartier sont vidées dans la **benne** du camion.

2 Une sorte de **pelle** fait passer le contenu des poubelles dans l'autre compartiment.

3 Les **vérins** sont actionnés. Les déchets sont compactés entre les deux **parois** de la benne.

4 Au **centre de traitement**, on lève la partie arrière de la benne pour la vider de ses déchets.

Pourquoi les grues tournent-elles même quand le chantier est désert, Pr Siphon ?

Parce qu'elles suivent le vent, comme des girouettes, pour ne pas être soufflées. L'équilibre des grues est primordial ! C'est la raison pour laquelle leur pied est solidement ancré.

❶ pelleteuse

Elle ressemble à un bras avec épaule, coude, poignet et main en forme de godet.

Le **compresseur** maintient la pression de l'huile.

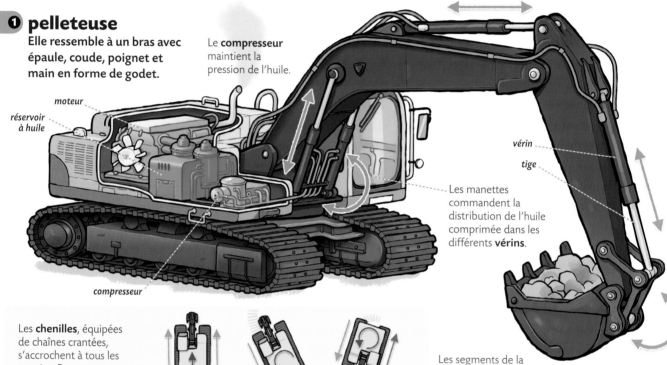

moteur

réservoir à huile

compresseur

vérin

tige

Les manettes commandent la distribution de l'huile comprimée dans les différents **vérins**.

Les **chenilles**, équipées de chaînes crantées, s'accrochent à tous les terrains. Pour tourner, une seule des deux chenilles est actionnée.

avance

tourne

tourne sur elle-même

Les segments de la **pelle** sont articulés par le mouvement des tiges des vérins.

❷ marteau-piqueur

Grâce à l'air comprimé, la pointe peut frapper 2 000 coups par minute.

Le **compresseur** comprime l'air injecté sous pression dans les cylindres du marteau-piqueur.

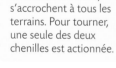

compresseur

manette

soupape

chambre

diaphragme

entrée d'air

sortie d'air

piston

marteau

La **manette** commande l'ouverture de la soupape : l'air entre.

Grâce au **diaphragme**, l'air circule alternativement dans deux circuits. Le premier pousse le marteau, le second le relève.

❶ **descente du marteau**
L'air comprimé pénètre dans la chambre et pousse le piston : le marteau descend.

❷ **remontée du marteau**
L'air comprimé passe dans l'autre circuit et relève le piston.

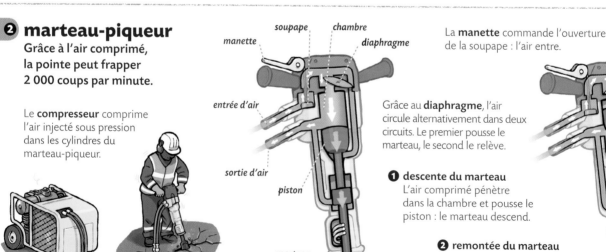

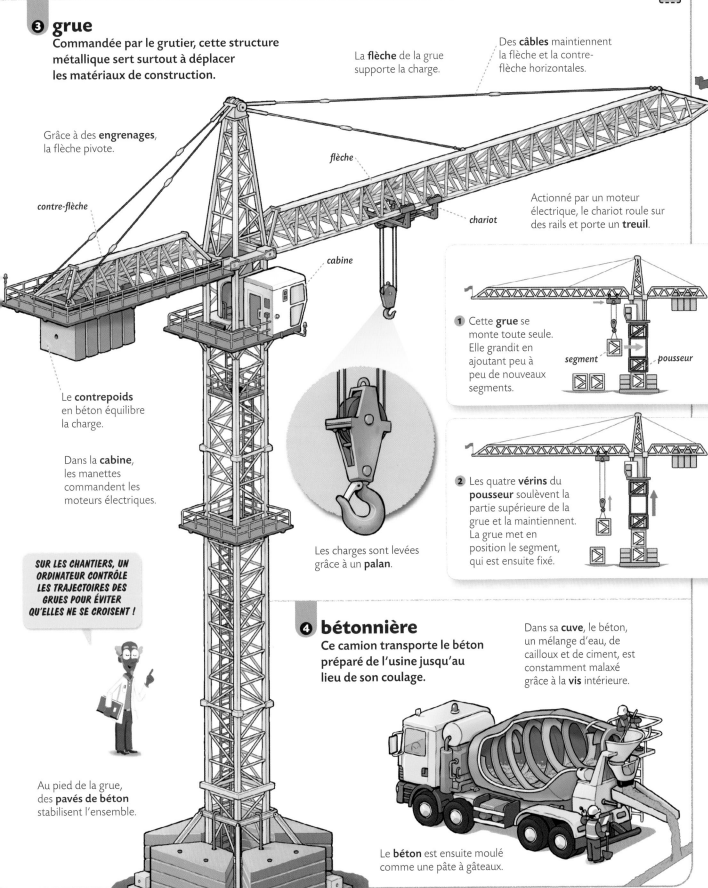

❸ grue

Commandée par le grutier, cette structure métallique sert surtout à déplacer les matériaux de construction.

La **flèche** de la grue supporte la charge.

Des **câbles** maintiennent la flèche et la contre-flèche horizontales.

Grâce à des **engrenages**, la flèche pivote.

contre-flèche

flèche

chariot

cabine

Actionné par un moteur électrique, le chariot roule sur des rails et porte un **treuil**.

❶ Cette **grue** se monte toute seule. Elle grandit en ajoutant peu à peu de nouveaux segments.

segment   *pousseur*

Le **contrepoids** en béton équilibre la charge.

Dans la **cabine**, les manettes commandent les moteurs électriques.

Les charges sont levées grâce à un **palan**.

❷ Les quatre **vérins** du **pousseur** soulèvent la partie supérieure de la grue et la maintiennent. La grue met en position le segment, qui est ensuite fixé.

SUR LES CHANTIERS, UN ORDINATEUR CONTRÔLE LES TRAJECTOIRES DES GRUES POUR ÉVITER QU'ELLES NE SE CROISENT !

❹ bétonnière

Ce camion transporte le béton préparé de l'usine jusqu'au lieu de son coulage.

Dans sa **cuve**, le béton, un mélange d'eau, de cailloux et de ciment, est constamment malaxé grâce à la **vis** intérieure.

Au pied de la grue, des **pavés de béton** stabilisent l'ensemble.

Le **béton** est ensuite moulé comme une pâte à gâteaux.

Le camion et l'équipement du pompier

Lorsque les pompiers éteignent un feu, ce n'est pas toujours avec de l'eau !

Bien vu, Julia ! L'eau ralentit la combustion et combat surtout la chaleur, elle ne permet pas toujours d'éteindre un incendie. Quel que soit le feu, il faut s'attaquer à l'un de ses trois composants : le combustible, l'oxygène ou la chaleur.

La **calotte** résiste à la chaleur.

La **visière** peut être changée selon l'éclat des flammes et l'épaisseur de la fumée.

Le **masque** évite d'être asphyxié.

La **combinaison** est faite de plusieurs couches. Grâce à ses fibres, la couche extérieure résiste aux flammes.

Les segments de l'échelle coulissent progressivement grâce au câble métallique du **treuil**.

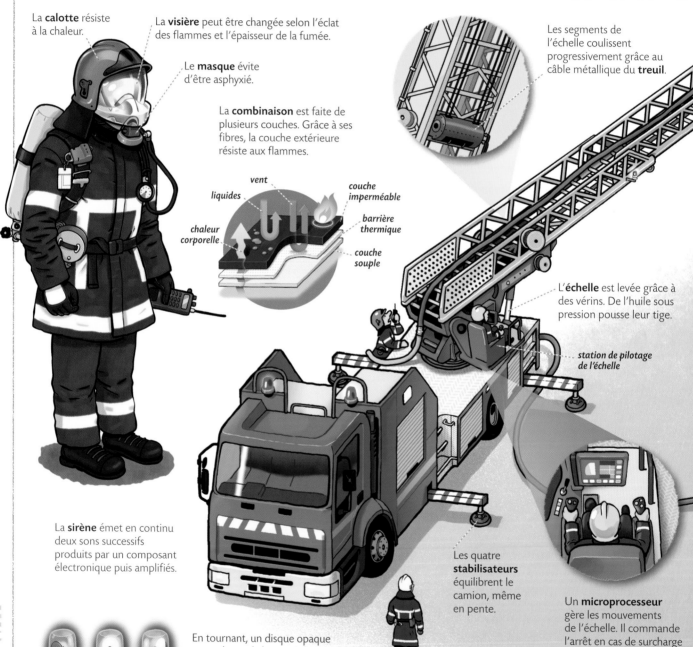

vent
liquides
couche imperméable
chaleur corporelle
barrière thermique
couche souple

L'**échelle** est levée grâce à des vérins. De l'huile sous pression pousse leur tige.

station de pilotage de l'échelle

La **sirène** émet en continu deux sons successifs produits par un composant électronique puis amplifiés.

Les quatre **stabilisateurs** équilibrent le camion, même en pente.

Un **microprocesseur** gère les mouvements de l'échelle. Il commande l'arrêt en cas de surcharge ou d'équilibre instable.

En tournant, un disque opaque passe devant la lampe et la masque régulièrement. La lampe du **gyrophare** semble clignoter.

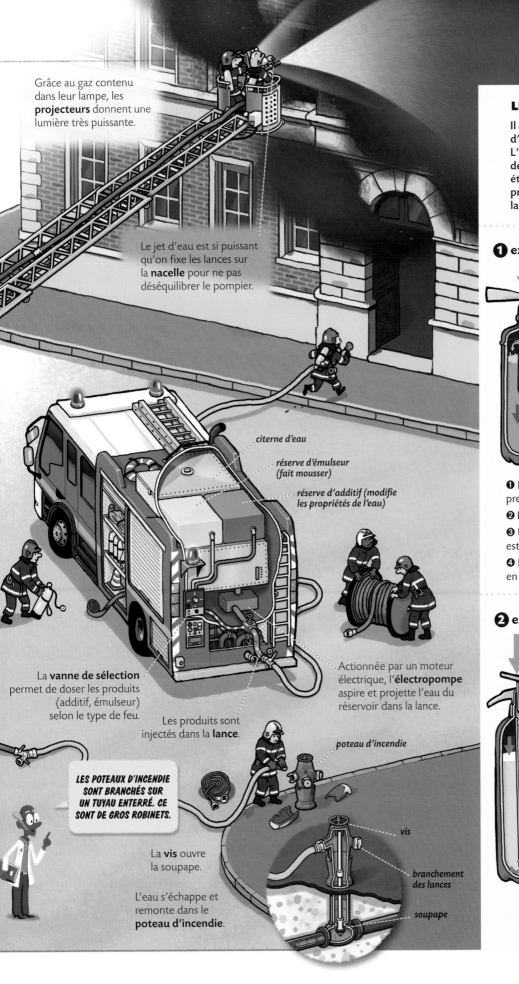

Grâce au gaz contenu dans leur lampe, les **projecteurs** donnent une lumière très puissante.

Le jet d'eau est si puissant qu'on fixe les lances sur la **nacelle** pour ne pas déséquilibrer le pompier.

citerne d'eau

réserve d'émulseur *(fait mousser)*

réserve d'additif *(modifie les propriétés de l'eau)*

Actionnée par un moteur électrique, l'**électropompe** aspire et projette l'eau du réservoir dans la lance.

La **vanne de sélection** permet de doser les produits (additif, émulseur) selon le type de feu.

Les produits sont injectés dans la **lance**.

poteau d'incendie

LES POTEAUX D'INCENDIE SONT BRANCHÉS SUR UN TUYAU ENTERRÉ. CE SONT DE GROS ROBINETS.

La **vis** ouvre la soupape.

L'eau s'échappe et remonte dans le **poteau d'incendie**.

vis

branchement des lances

soupape

LES EXTINCTEURS

Il existe deux grands types d'extincteurs : à eau ou à poudre. L'eau refroidit et stoppe un feu de papier ou de paille ; la poudre étouffe un feu d'essence ou de produits chimiques en limitant la présence de l'oxygène de l'air.

❶ extincteur à eau

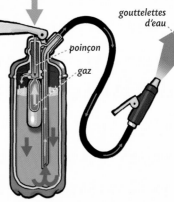

gouttelettes d'eau

poinçon

gaz

❶ Le poinçon libère un gaz sous pression dans la cartouche.

❷ Le gaz propulse l'eau dans le tuyau.

❸ Une pluie de gouttelettes est projetée sur le feu.

❹ L'eau refroidit le combustible en train de brûler.

❷ extincteur à poudre

poinçon

gaz

mousse

❶ Le poinçon ouvre la bouteille.

❷ Le gaz carbonique sous pression propulse la poudre.

❸ La forme conique du diffuseur permet au gaz carbonique de bien se mélanger à la poudre qu'il projette.

❹ Le gaz carbonique, un gaz lourd, recouvre le feu et limite l'arrivée d'oxygène. Le feu est étouffé.

Sous l'escalier, c'est le vide. Les marches ne risquent-elles pas de tomber ?

N'aie pas d'inquiétude, Julia ! Les marches roulent sur des rails. En bas et en haut, elles basculent pour être au niveau du plancher, mais elles sont toujours solidement maintenues.

Le **moteur électrique** actionne à la fois la grande roue qui entraîne la chaîne de transmission et la roue de commande de la main courante.

Les **marches mobiles** avancent ou reculent sur des rails fixes.

Les marches mobiles sont reliées les unes aux autres par l'intermédiaire d'une **chaîne de transmission** qui les fait avancer sans fin.

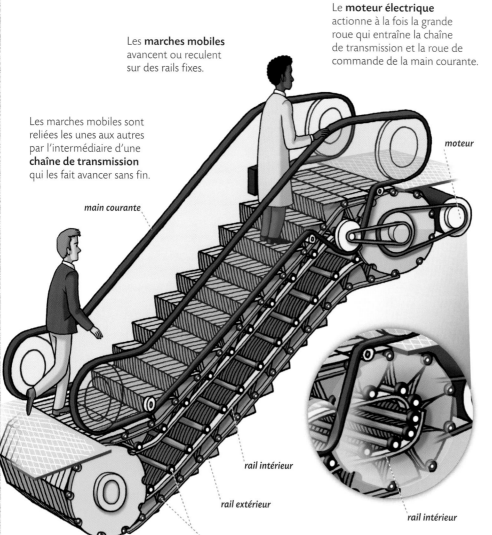

main courante

moteur

rail intérieur

rail extérieur

rail intérieur

Chaque **marche** est équipée de deux paires de roulettes reliées par un axe. L'une est guidée par le rail extérieur, l'autre roule sur le rail intérieur. D'où le nom d'escalier... roulant.

Le **rail intérieur** permet aux marches de s'escamoter progressivement, puis de se retourner. Les roulettes sont ainsi toujours sur le rail.

GRÂCE À UN CAPTEUR, L'ESCALIER NE SE MET EN MARCHE QUE LORSQUE QUELQU'UN SE PRÉSENTE.

AUTREFOIS

Vers 1900, quelques années après l'invention des escaliers roulants et des ascenseurs, on a imaginé et réalisé les premiers trottoirs roulants. Cette nouveauté attirait les curieux dans les grandes capitales !

AUTREMENT

Les trottoirs roulants, plans ou inclinés, sont constitués d'une bande qui tourne sans fin. Dans les hypermarchés, les roues des chariots sont crantées pour qu'elles se bloquent dans les rainures du tapis mécanique.

LE ➕ DU Pr SIPHON

Les trottoirs à grande vitesse disposent d'une zone d'accélération et de ralentissement afin de ne pas déséquilibrer le piéton. La main courante fait avancer à la bonne vitesse le piéton dont les pieds glissent sur des rouleaux.

Dans un ascenseur, la cabine est-elle toujours suspendue à des câbles ?

Non, pas toujours. Il existe des ascenseurs où la cabine est poussée par de l'huile ou bien actionnée par des vis. Plus rarement, elle est portée par des roues, voire des aimants.

Le **moteur électrique** actionne la poulie qui déplace la cabine de haut en bas ou de bas en haut.

Des **câbles** mis en mouvement par le moteur déplacent la cabine et le contrepoids.

Le bouton d'appel envoie un signal au **microprocesseur** de gestion. Celui-ci commande la mise en route du moteur et le déplacement de la cabine jusqu'à l'étage à desservir.

La cabine est guidée par des **galets** et un **rail** sur les côtés de la cage d'ascenseur.

Des **capteurs** fixés sur les rails signalent que l'étage approche. L'information commande le variateur de vitesse du moteur. La cabine ralentit et s'arrête en douceur.

Des « **parachutes** » sont disposés le long de la cage. En cas de rupture des câbles, ces butées basculent à l'horizontale et stoppent la cabine.

Lorsque la cabine monte, le **contrepoids** descend et inversement. Sans cet équilibre, le moteur devrait fortement freiner la cabine en descente et fournir un gros travail pour la faire monter.

poulie

moteur

câble

rail

galet

parachute

contrepoids

AUTRES ASCENSEURS

❶ ascenseur à roues

◀ Équipées de moteurs et de freins, les roues déplacent la cabine sur des **tubes**. Des câbles de sécurité la maintiennent en cas de chute.

❷ ascenseur hydraulique

◀ Il est propulsé par un **vérin** qui reçoit de l'eau ou de l'huile sous pression. Pour faire descendre l'ascenseur, on évacue le fluide dans un réservoir.

❸ ascenseur à vis

◀ Un moteur fait tourner une **vis sans fin**. La cabine monte ou descend comme un écrou.

QUE SE PASSE-T-IL QUAND PLUSIEURS PERSONNES APPELLENT L'ASCENSEUR ?

LE MICROPROCESSEUR analyse l'ensemble des commandes et des appels. Selon la position de l'ascenseur, il choisit l'ordre de priorité des arrêts.

58 La caisse automatique et le code-barres

Une caisse sans clavier... Comment est-ce possible, Pr Siphon ?

Tout simplement grâce au lecteur code-barres, qui reconnaît les articles ! L'affichage du prix, le paiement, l'impression du ticket... sont automatiques. Et tu ne devines pas les échanges d'informations entre la caisse et les ordinateurs distants !

❶ lecteur code-barres

La « douchette » éclaire le code-barres et analyse la lumière qu'il lui renvoie.

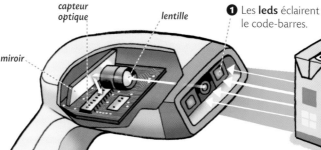

capteur optique

lentille

❶ Les **leds** éclairent le code-barres.

miroir

❸ L'image du code-barres est photographiée par le **capteur optique**.

❷ La lumière réfléchie par les traits blancs est concentrée par la **lentille** sur le capteur.

❹ L'image est convertie en un **code numérique** : des 0 et des 1.

UN SIGNAL SONORE INFORME LE CLIENT QUE LE PRODUIT EST BIEN IDENTIFIÉ.

❺ L'**ordinateur** identifie le produit et adresse son prix à la caisse.

Un **code-barres** est une série de traits blancs et noirs plus ou moins épais qui code deux nombres de six chiffres : la référence du fabricant et celle de l'article.

À chaque chiffre correspond une séquence de 7 rectangles blancs ou noirs.

début du code — *séparation* — *fin du code*

0 3 6 0 0 0 2 9 1 4 5 2

référence du fabricant — *référence de l'article*

Seuls les rectangles blancs renvoient la lumière. Le codage est facile : le blanc, c'est 0, et le noir 1. Par exemple, le 4 est codé :

4 = 1011100

❷ portique antivol

Le portique est une antenne qui crée un champ magnétique.

Un **composant électronique** analyse la perturbation et déclenche l'alarme.

Le **portique** détecte tout passage d'un traceur fixé sur un article.

Le **traceur** métallique ou électronique perturbe le champ magnétique.

À la caisse, les traceurs métalliques sont désactivés. Les macarons sont détachés grâce à un **aimant** qui désolidarise les deux parties.

La **lame métallique** est insérée dans l'étiquette.

Le **macaron**, fixé sur le vêtement, comporte des composants électroniques.

❸ caisse automatique

Elle effectue les contrôles indispensables à l'achat des articles. Elle vérifie aussi que tout le contenu du panier est enregistré.

Le **scanner** est équipé de miroirs qui renvoient plusieurs faisceaux lumineux sur le produit. Le code-barres est ainsi saisi quelle que soit sa position.

À l'**écran** s'affichent les instructions successives destinées au client.

Le **lecteur** permet de lire la carte de paiement du client, mais aussi sa carte de fidélité.

L'**imprimante** émet le ticket donnant la liste des articles et leurs prix.

Le **monnayeur** assure le paiement en pièces et en billets.

lecteur *imprimante* *monnayeur*

▲ **Carte bancaire** ▲ **Insérez pièces** ▲ **Monnaie**

Scannez, puis déposez vos articles ici. ▼

L'**ordinateur** central ajoute des points sur la carte de fidélité et lance l'impression des tickets promotionnels.

Grâce au **lecteur de codes-barres** (ou scanner), les articles sont identifiés.

La **balance** vérifie la correspondance entre la référence d'un article et son poids.

Comme toutes les caisses, la **caisse automatique** est reliée à la fois à l'ordinateur central du magasin et aux ordinateurs du réseau bancaire.

❶ Le **code-barres** est scanné. L'information numérique est envoyée à l'ordinateur central qui consulte sa base de références.

❷ L'**article** est identifié. Son prix et sa référence s'affichent à l'écran et sont imprimés sur le ticket. Ce montant est mis en mémoire.

❸ Simultanément, dans l'**ordinateur central**, la vente du produit est enregistrée. Le fichier des stocks est diminué d'une unité.

❹ L'ordinateur central calcule **instantanément** le montant des ventes et peut déclencher les commandes de réapprovisionnement.

Dans une carte de paiement, **la puce et la bande magnétique ont le même rôle ?**

Oui et non, Théo ! **Oui, car ce sont des mémoires dont les informations secrètes ne peuvent être interprétées qu'au contact des lecteurs adéquats. Non, car les puces sont souvent de minuscules ordinateurs sans clavier ni écran.**

Une carte à puce est un sandwich dans lequel est insérée et protégée la puce, un microprocesseur.

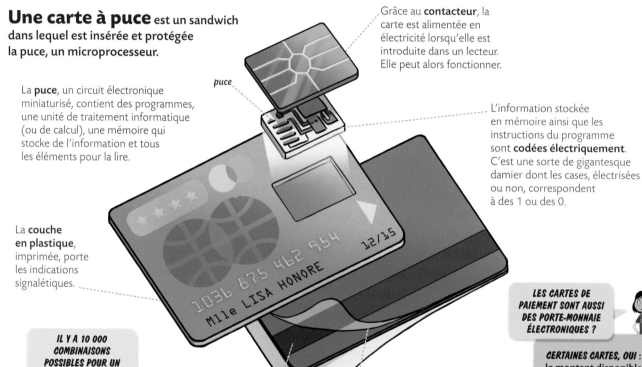

Grâce au **contacteur**, la carte est alimentée en électricité lorsqu'elle est introduite dans un lecteur. Elle peut alors fonctionner.

puce

La **puce**, un circuit électronique miniaturisé, contient des programmes, une unité de traitement informatique (ou de calcul), une mémoire qui stocke de l'information et tous les éléments pour la lire.

L'information stockée en mémoire ainsi que les instructions du programme sont **codées électriquement**. C'est une sorte de gigantesque damier dont les cases, électrisées ou non, correspondent à des 1 ou des 0.

La **couche en plastique**, imprimée, porte les indications signalétiques.

1036 875 462 954 12/15
Mlle LISA HONORE

LES CARTES DE PAIEMENT SONT AUSSI DES PORTE-MONNAIE ÉLECTRONIQUES ?

IL Y A 10 000 COMBINAISONS POSSIBLES POUR UN CODE DE 4 CHIFFRES !

La **piste magnétique** est une mémoire. L'information binaire est enregistrée grâce à l'orientation des minuscules particules aimantées. Elle peut être lue par un lecteur magnétique.

La **pellicule de surface** protège la piste magnétique des rayures notamment.

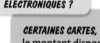

CERTAINES CARTES, OUI : le montant disponible est mémorisé dans la puce ou la bande magnétique. Chaque paiement se traduit par une modification de cette mémoire. On peut aussi recharger ces cartes lorsqu'elles sont épuisées.

1 La carte est insérée dans le **lecteur**. Celui-ci vérifie qu'elle est bien valide et demande le code confidentiel.

2 La **puce** lance son programme de contrôle qui compare le code saisi et le code en mémoire. Il se bloque définitivement après trois erreurs.

banque
lecteur
centre de contrôle

3 Si la carte est reconnue, le lecteur interroge à distance le **centre de contrôle** en relation avec la banque. Un nombre au hasard est alors adressé à la puce.

4 La puce et l'ordinateur du centre de contrôle font les mêmes calculs. S'ils obtiennent un résultat identique, l'**opération** est autorisée.

Le distributeur de billets

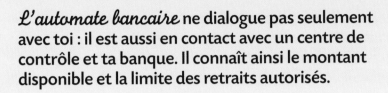

Comment le distributeur de billets peut-il savoir ce que j'ai sur mon compte ?

L'automate bancaire ne dialogue pas seulement avec toi : il est aussi en contact avec un centre de contrôle et ta banque. Il connaît ainsi le montant disponible et la limite des retraits autorisés.

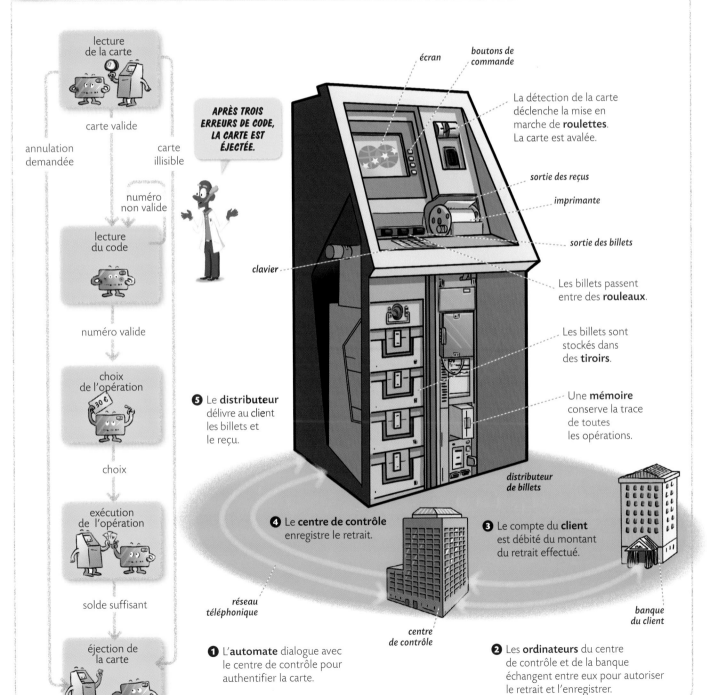

lecture de la carte

carte valide

annulation demandée

carte illisible

APRÈS TROIS ERREURS DE CODE, LA CARTE EST ÉJECTÉE.

numéro non valide

lecture du code

numéro valide

choix de l'opération

choix

exécution de l'opération

solde suffisant

éjection de la carte

écran

boutons de commande

La détection de la carte déclenche la mise en marche de **roulettes**. La carte est avalée.

sortie des reçus

imprimante

sortie des billets

Les billets passent entre des **rouleaux**.

Les billets sont stockés dans des **tiroirs**.

Une **mémoire** conserve la trace de toutes les opérations.

clavier

❺ Le **distributeur** délivre au client les billets et le reçu.

distributeur de billets

❹ Le **centre de contrôle** enregistre le retrait.

❸ Le compte du **client** est débité du montant du retrait effectué.

réseau téléphonique

banque du client

centre de contrôle

❶ L'**automate** dialogue avec le centre de contrôle pour authentifier la carte.

❷ Les **ordinateurs** du centre de contrôle et de la banque échangent entre eux pour autoriser le retrait et l'enregistrer.

Un livre électronique, c'est comme un écran d'ordinateur, Pr Colza ?

Non, tu n'y es pas ! Comme l'ordinateur, le livre électronique est équipé d'un écran sur lequel vont s'afficher les pages. Mais c'est l'encre électronique qui fait toute la différence !

L'écran d'un livre

électronique est constitué de deux plaques recouvertes d'électrodes et séparées par une couche de microcapsules. Celles-ci peuvent blanchir ou noircir, et ainsi dessiner sur l'écran les caractères des mots en mémoire. Une couche supplémentaire en surface permet l'affichage des couleurs.

Des **icônes** facilitent la lecture : recherche de mots, surlignage, sélection de texte...

icône

bouton de navigation

Des **cartes mémoires** peuvent être ajoutées pour augmenter la capacité du livre électronique.

La **prise** et l'**antenne** dissimulée dans le boîtier permettent le téléchargement des livres sur le serveur d'un éditeur.

> A l'un des plus grands orateurs qui honorent l'Angleterre, succédait donc ce Phileas Fogg ❹, personnage énigmatique, dont on ne savait rien, sinon que c'était un fort galant homme et l'un des plus beaux gentlemen de la haute société anglaise.
>
> ❺ On disait qu'il ressemblait à Byron - par la tête, car il était irréprochable quant aux pieds -, mais un Byron à moustaches et à favoris, un Byron ❻ impassible, qui aurait vécu mille ans sans vieillir.
>
> Anglais, à coup sûr, Phileas Fogg n'était peut-être pas Londonner. On ne l'avait

Le **téléchargement** d'un livre correspond à la mise en mémoire de **l'électrisation** de chaque pixel composant les pages.

La page d'un livre électronique est un canevas très fin de **mailles électrisées**.

électrode

pixel

Le **microprocesseur** commande l'électrisation de la page sélectionnée. L'encre électronique rend alors visibles et lisibles les mots, les images...

sous-pixel

microcapsule

électrode

AVEC LES COMBINAISONS DE CES SOUS-PIXELS, ON PEUT OBTENIR 16 NUANCES DE GRIS ET 1096 COULEURS !

Les images apparaissent grâce aux **pixels**. Un pixel est composé de 4 **sous-pixels** : rouge, vert, bleu et blanc. Pour faire apparaître du rouge, il suffit d'avoir des microcapsules blanches sous les carrés rouges et des noires sous les autres.

Une **microcapsule** contient des particules noires, chargées négativement, et blanches, chargées positivement.

Je ne comprends pas, Pr Siphon, c'est un tableau ou un écran ?

Les deux à la fois… et bien plus encore ! Car tout ce qui a été fait au tableau est gardé en mémoire. En fait, le tableau interactif est comme le second écran de ton ordinateur. Et il communique avec le premier !

Le tableau interactif
permet des actions réciproques entre le professeur, les élèves, l'ordinateur et le vidéoprojecteur.

Le tableau, l'ordinateur et le vidéoprojecteur fonctionnent **en chaîne**.

Un **logiciel** traite les mouvements du stylet et les commandes du menu : écrire, agrandir ou réduire les textes ou les images, accéder au réseau Internet…

vidéoprojecteur

Le **vidéoprojecteur** affiche au tableau une copie de l'écran de l'ordinateur.

Le **tableau interactif** est un écran. On écrit dessus avec un **stylet** qui fonctionne sans fil ni batterie.

GRÂCE AU LOGICIEL, C'EST FACILE DE SUIVRE LES PROGRÈS DE L'ÉLÈVE.

stylet

ardoise

Le **stylet** clique. Comme une souris !

boîtier

À l'aide d'un **boîtier d'évaluation**, les élèves peuvent répondre à des questions : ils sélectionnent la réponse qui est transmise par ondes à l'ordinateur.

Avec son **ardoise numérique**, le professeur travaille sur la copie du tableau.

1 Le tableau contient un **maillage** très fin de fils électriques. Chaque point est identifié par ses coordonnées.

2 Les mouvements du **stylet** sont localisés et transmis à l'**ordinateur**, qui les convertit en lettres, tracés, figures…

3 L'ordinateur transmet ce traitement des informations au **vidéoprojecteur**.

4 Le **tableau** affiche en temps réel les modifications. L'image projetée est celle de l'écran de l'ordinateur.

Stéthoscope, otoscope et tensiomètre

À quoi servent ces appareils médicaux aux noms barbares, Pᴿ Colza ?

Ils servent à écouter ou à voir ce qui se passe à l'intérieur du corps. Désormais, beaucoup sont électroniques : les mesures sont plus précises et les données peuvent être enregistrées. Pour le reste, ils marchent à peu près comme leurs ancêtres.

❶ otoscope

Il permet d'examiner le conduit auditif et le tympan et de diagnostiquer les otites.

Une pression sur le **bouton de commande** permet d'enregistrer les photos numériques.

Ces **photos** peuvent être stockées, comparées et transmises au patient ou à l'équipe médicale.

La **lampe** éclaire l'intérieur de l'oreille.

Les images s'affichent sur l'**écran** de l'ordinateur.

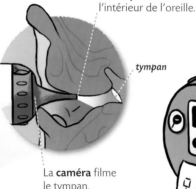

tympan

La **caméra** filme le tympan.

L'otoscope est connecté à l'ordinateur par une **prise USB**.

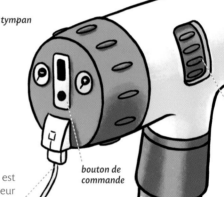

bouton de commande

Le réglage des **lentilles** permet d'agrandir l'image et d'ajuster la vision.

❷ tensiomètre

Il mesure la pression du sang exercée sur les parois des artères avec deux valeurs : la pression la plus haute et la pression la plus basse.

Les mesures effectuées sont **mémorisées** dans l'appareil.

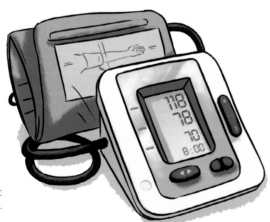

Les données peuvent être imprimées, transmises à un **ordinateur** et comparées avec les précédentes.

❶ Le **brassard** est fixé sur le bras. En appuyant sur le bouton, on déclenche la **pompe** du tensiomètre. Le brassard gonfle et écrase l'artère. Le sang ne circule plus.

❷ Automatiquement, le brassard se dégonfle. La reprise de la circulation du sang produit des **pulsations** dans la poche gonflable.

❸ Ces pulsations sont transmises à un **composant électronique** qui mesure la pression artérielle moyenne. L'appareil calcule les pressions maximale et minimale.

❸ stéthoscope

Il écoute les battements du cœur, les mouvements respiratoires et les sons abdominaux.

LES SONS PEUVENT ÊTRE TRANSMIS PAR BLUETOOTH À UN ORDINATEUR.

❺ Les **membranes** des haut-parleurs vibrent et restituent le son dans les oreilles.

❹ Le signal électrique est transmis par des fils aux deux minuscules **haut-parleurs** des écouteurs.

❸ Le micro transforme le son en **courant électrique**.

mise en marche

batterie

Le **sélecteur** permet de filtrer les sons entendus en fonction des organes.

sélecteur

volume

mémoire

pavillon

❷ Derrière la membrane du pavillon, un **micro** capte les sons.

membrane

Le **circuit électronique** amplifie les sons et efface les bruits parasites comme ceux du frottement sur la peau.

Le stéthoscope enregistre les battements dans sa **mémoire**.

EXPÉRIENCE

Pour fabriquer un stéthoscope, on fixe avec du ruban adhésif une feuille de cellophane à l'extrémité d'un entonnoir que l'on prolonge avec un rouleau d'essuie-tout. Pour écouter les bruits à l'intérieur du corps, il suffit de porter le tube à l'oreille et de déplacer le pavillon sur le thorax ou l'abdomen du patient.

LE ➕ DU PR SIPHON

Les appareils électroniques fournissent des données numériques. Leur enregistrement permet de tracer des courbes pour étudier leur évolution au fil du temps, les comparer avec les courbes normales et mesurer l'efficacité d'un traitement.

❶ Posée sur le torse ou dans le dos, la membrane du **pavillon** vibre légèrement selon les mouvements du cœur, des poumons, des intestins.

Le robot chirurgien

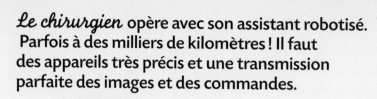

Comment les chirurgiens font-ils pour opérer à distance, Pr Colza ?

Le chirurgien opère avec son assistant robotisé. Parfois à des milliers de kilomètres ! Il faut des appareils très précis et une transmission parfaite des images et des commandes.

Le robot a trois bras. Grâce aux manettes, ils reproduisent avec une grande précision les mouvements du chirurgien.

Chaque **bras** est équipé de caméras miniatures, de fibres optiques qui éclairent et de pinces munies des instruments chirurgicaux adéquats.

❹ Les **moteurs** des bras robotisés effectuent les commandes. Le chirurgien peut les contrôler à l'écran.

❸ L'**ordinateur** commande le robot.

❷ Les **manettes** lui permettent de télémanipuler les bras du robot qui se trouve dans la salle d'opération.

❶ Devant sa **console**, le chirurgien reçoit les images en trois dimensions, grossies, de la table d'opération.

LA CHIRURGIE ASSISTÉE PAR ORDINATEUR EST PLUS PRÉCISE ET MOINS FATIGANTE POUR LE CHIRURGIEN.

ET DEMAIN ?

Un prototype de robot médical réalisé dans une coque en plastique de 2 cm de long et de 1 cm de diamètre peut se déplacer à l'intérieur du corps. Cette sorte d'insecte muni d'un œil et de pinces pourra être radiocommandé, effectuer des prélèvements et de petites opérations.

AUTREMENT

L'exploration à distance existe aussi dans l'espace. Les premières images de Mars ont été obtenues grâce à un véhicule piloté à distance.

LE ✚ DU Pr SIPHON

L'endoscope introduit dans l'œsophage est composé d'une microcaméra et d'une fibre optique qui l'éclaire. Les images de l'estomac s'affichent directement à l'écran !

Les lunettes et l'appareil auditif

Pourquoi je ne vois rien avec vos lunettes, Pr Siphon ?

Tout simplement parce qu'elles sont adaptées à mes yeux et à ma vue, Théo ! Il en est de même pour les appareils auditifs qui sont parfaitement ajustés aux troubles de l'audition de chacun.

❶ lunettes de vue

Grâce à leur courbure, les verres de lunettes corrigent les défauts de la vision (myopie, hypermétropie, astigmatisme...). Chaque œil a ses caractéristiques.

Une **personne myope** voit mal de loin : elle voit le sujet plus petit qu'il n'est réellement. Son image se forme à l'avant de la rétine.

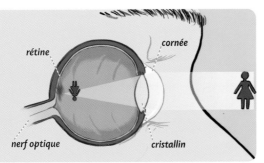

rétine · cornée · nerf optique · cristallin

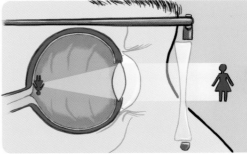

Les verres du myope sont **concaves** : les bords sont plus épais que le centre. Ils repoussent l'image sur la rétine.

Une **personne hypermétrope** voit mal de près comme de loin : elle voit le sujet plus grand qu'il n'est réellement. Son image se forme à l'arrière de la rétine.

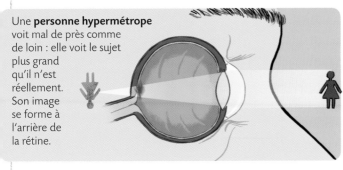

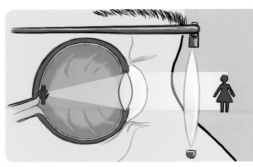

Les verres de l'hypermétrope sont **convexes** : le centre est plus épais que les bords. Ils rapprochent l'image sur la rétine.

❷ contour d'oreille

Cet appareil auditif reçoit les sons, les traite et les transmet à l'oreille interne.

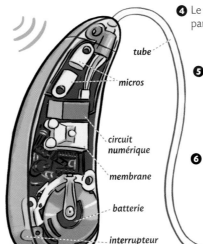

tube · micros · circuit numérique · membrane · batterie · interrupteur

❶ Les sons et bruits parviennent à l'appareil par la **membrane**.

❷ Les **micros** captent d'où viennent les sons, les graves et les aigus. Ils les transforment en électricité.

❸ Le **microprocesseur** analyse, distingue et corrige ces signaux électriques.

❹ Le volume est réglé par l'**amplificateur**.

❺ Le **haut-parleur** transforme les signaux électriques en vibrations.

❻ Les sons, l'air qui vibre, parviennent à l'embout par le **tube**.

CERTAINS APPAREILS SONT LOGÉS DANS L'OREILLE, MAIS ILS MARCHENT DE LA MÊME FAÇON.

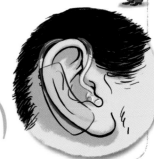

Quelle est la différence entre tous ces microscopes, Pr Colza ?

le grossissement, Théo ! Le microscope électronique permet de grossir les objets cent fois plus que le microscope optique. Mais si tu veux voir les atomes, il faudra utiliser un microscope à effet tunnel !

Le microsope optique est un tube équipé d'un objectif et d'un oculaire. Leurs lentilles donnent une image grossie de l'échantillon transparent éclairé par le dessous.

❶ Une goutte de sang est déposée entre deux lamelles de verre sur la **plateforme**.

❷ La lumière de la lampe est concentrée par des **lentilles** et orientée par le **miroir**.

❸ La **vis de réglage** permet de faire la mise au point : elle déplace les lentilles.

❹ La **lumière** éclaire l'échantillon.

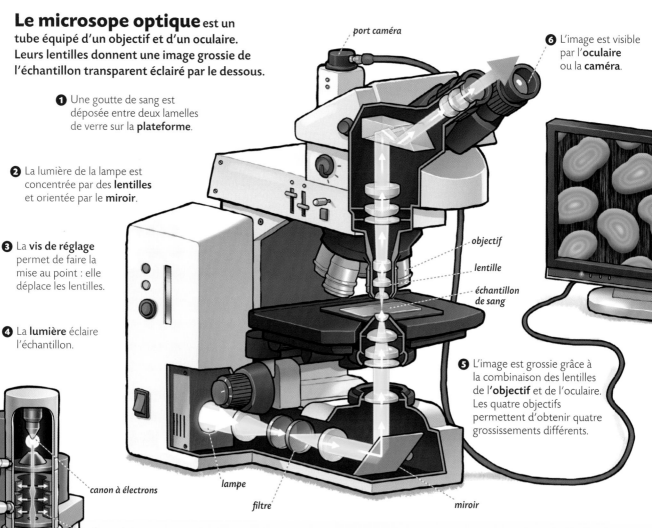

port caméra

❻ L'image est visible par l'**oculaire** ou la **caméra**.

objectif

lentille

échantillon de sang

❺ L'image est grossie grâce à la combinaison des lentilles de l'**objectif** et de l'oculaire. Les quatre objectifs permettent d'obtenir quatre grossissements différents.

canon à électrons

lampe

filtre

miroir

électroaimant

porte échantillon

écran fluorescent

AUTRES MICROSCOPES

microscope électronique
L'échantillon déposé à l'intérieur du tube est traversé non pas par la lumière mais par des **électrons** canalisés par des électroaimants qui jouent le rôle de lentilles. Les électrons qui traversent l'échantillon éclairent un **écran fluorescent** sur lequel l'image est visible.

microscope à effet tunnel
Une **pointe** de la taille d'un atome se déplace au-dessus de l'échantillon. Entre la pointe et la surface, le courant électrique produit varie selon la distance. Cela permet de reconstituer l'**image en relief** à l'échelle des atomes.

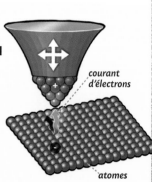

courant d'électrons

atomes

L'imagerie médicale

Avec tous ces appareils, le corps devient comme transparent, Pr Siphon !

Tout à fait, Julia ! Le choix de la technique dépend de la partie du corps que l'on examine. L'intérieur de l'intestin peut être observé avec une caméra, le cerveau grâce à l'IRM. Pour les dents, une photo aux rayons X suffit !

L'IRM, ou imagerie par résonance magnétique nucléaire, permet d'obtenir des images de l'intérieur des organes mous, comme le cerveau.

❶ Le patient est placé dans un **tunnel**.

❷ Un **aimant** très puissant oriente de la même façon les protons des atomes d'hydrogène de l'eau contenue dans les organes.

❸ Un **émetteur d'ondes radio** bombarde la zone que l'on veut observer, ce qui modifie l'orientation des protons.

❹ Les protons reprennent leur orientation initiale en émettant de faibles échos. C'est la **résonance magnétique**.

émetteur d'ondes radio

antenne

aimant

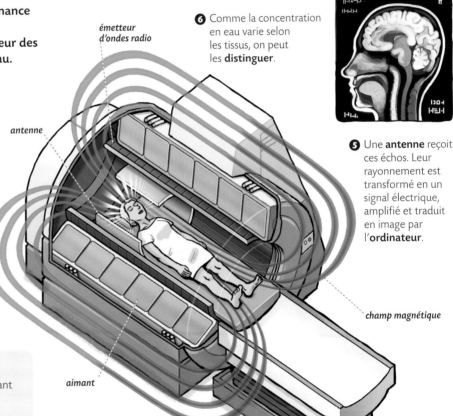

champ magnétique

❻ Comme la concentration en eau varie selon les tissus, on peut les **distinguer**.

❺ Une **antenne** reçoit ces échos. Leur rayonnement est transformé en un signal électrique, amplifié et traduit en image par l'**ordinateur**.

AUTRES APPAREILS D'IMAGERIE MÉDICALE

radiographie numérique

C'est une photo aux **rayons X** des dents, des poumons et des os.
Le **canon** envoie des rayons X sur les dents. Certains rayons sont arrêtés par les dents et les os.
Le **capteur numérique**, maintenu dans la bouche, reçoit les autres. L'image s'affiche à l'écran. Les taches indiquent les caries.

scintigraphie

Elle permet d'obtenir une image grâce à l'injection d'une substance légèrement **radioactive** dans un organe, le cœur par exemple. Une **caméra** sensible aux rayons (ondes gamma) capte la radioactivité émise par cette substance. Elle donne des images de l'irrigation du cœur afin de déceler d'éventuelles anomalies.

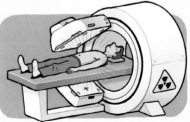

Les centrales électriques

Qu'est-ce qui différencie un barrage, une éolienne et une centrale nucléaire, Pr Colza ?

C'est surtout la source d'énergie (eau, vent, charbon, uranium...) qui différencie les centrales électriques. Le fonctionnement, lui, est presque identique : une turbine, en tournant, entraîne un alternateur qui produit l'électricité.

Dans une centrale thermique,
la combustion de gaz, de charbon ou de déchets ménagers permet de transformer l'eau en vapeur.

UN ALTERNATEUR FONCTIONNE COMME UN MOTEUR ÉLECTRIQUE À L'ENVERS !

❶ Dans la **chaudière**, l'eau se transforme en vapeur d'eau.

❷ La vapeur d'eau fait tourner les **pales** de la turbine.

❸ La **turbine** entraîne l'alternateur.

❹ L'**alternateur** est constitué d'un ensemble de bobines de fil électrique qui tournent à l'intérieur d'aimants puissants.

❺ Lorsque les bobines tournent, les **effets électromagnétiques** génèrent l'électricité.

❻ Le **transformateur** adapte les caractéristiques du courant au réseau de distribution.

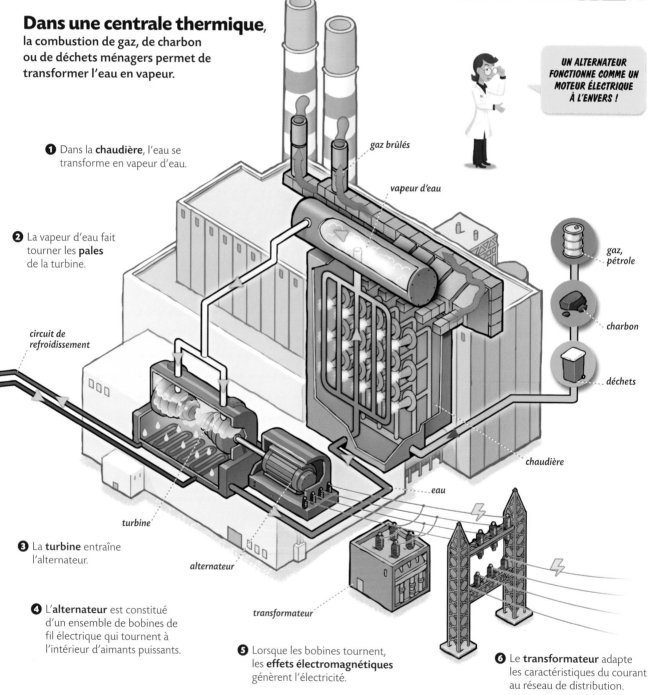

gaz brûlés

vapeur d'eau

gaz, pétrole

charbon

déchets

circuit de refroidissement

chaudière

eau

turbine

alternateur

transformateur

LA VILLE

Les éoliennes sont reliées entre elles et au réseau électrique par des câbles enterrés.

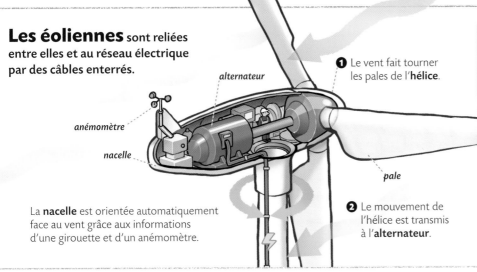

alternateur

anémomètre

nacelle

pale

❶ Le vent fait tourner les pales de l'**hélice**.

❷ Le mouvement de l'hélice est transmis à l'**alternateur**.

La **nacelle** est orientée automatiquement face au vent grâce aux informations d'une girouette et d'un anémomètre.

Une centrale nucléaire
est une centrale thermique particulière.

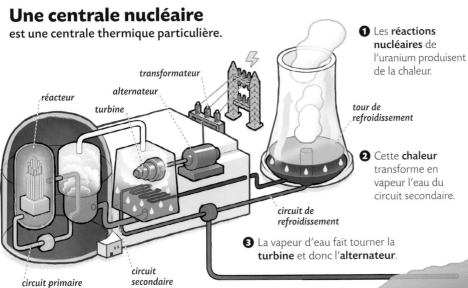

transformateur

réacteur

alternateur

turbine

tour de refroidissement

circuit de refroidissement

circuit primaire

circuit secondaire

❶ Les **réactions nucléaires** de l'uranium produisent de la chaleur.

❷ Cette **chaleur** transforme en vapeur l'eau du circuit secondaire.

❸ La vapeur d'eau fait tourner la **turbine** et donc l'**alternateur**.

Dans un barrage hydraulique,
l'ouverture des vannes produit la chute de l'eau et la transformation de cette énergie mécanique en énergie électrique.

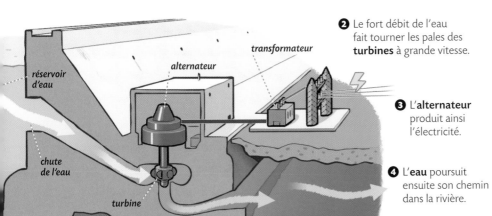

réservoir d'eau

transformateur

alternateur

chute de l'eau

turbine

❶ L'eau retenue par le **barrage** est canalisée vers les turbines.

❷ Le fort débit de l'eau fait tourner les pales des **turbines** à grande vitesse.

❸ L'**alternateur** produit ainsi l'électricité.

❹ L'**eau** poursuit ensuite son chemin dans la rivière.

QUESTION de PRINCIPE

L'énergie

Les principales formes d'énergie sont la lumière (énergie rayonnante), les réactions chimiques (énergie chimique), les liaisons des atomes (énergie nucléaire), les mouvements (énergie mécanique), la chaleur (énergie thermique) et l'électricité (énergie électrique). L'énergie ne fait que se transformer en passant d'une forme d'énergie à l'autre.

Applications

La combustion de la **bougie** transforme l'énergie chimique (l'huile, la cire) en énergie rayonnante (lumière) et en énergie thermique (chaleur).

La **lampe électrique** transforme l'énergie électrique en énergie rayonnante (lumière) et en énergie thermique (chaleur).

Le **moteur** d'une voiture transforme l'énergie chimique (l'essence) en énergie mécanique (déplacement) et en énergie thermique (frottements).

Les **muscles** transforment l'énergie chimique (les aliments) en énergie mécanique (mouvement) et en énergie thermique (chaleur).

L'eau domestiquée

D'où vient l'eau du robinet ? Et où va t-elle après, Pr Colza ?

Elle vient du château d'eau, Théo ! Avant, elle a été puisée dans les nappes souterraines, filtrée, traitée et contrôlée pour être potable. Après la douche ou la vaisselle, elle part vers un centre de traitement des eaux usées.

❸ Elle est clarifiée, filtrée et désinfectée pour devenir **potable**.

Les microorganismes, virus et bactéries, sont tués par l'action d'un gaz : l'**ozone**.

❷ Elle est transportée jusqu'à des **réservoirs** de stockage.

L'eau passe au travers du **sable** qui retient les dernières particules solides. Elle devient limpide.

❶ L'eau est **pompée** dans les nappes souterraines très profondes ou dans les rivières.

L'eau passe d'un bassin à l'autre. Des **grilles** et des **tamis** la débarrassent des déchets de plus en plus petits.

Les **aqueducs** permettent de franchir les vallées.

réservoir de stockage

station de traitement de l'eau potable

station de pompage

Dans le bassin, les particules s'agglutinent sous l'action d'un produit chimique : c'est la **floculation**. Plus denses, elles se déposent ensuite au fond : c'est la **décantation**.

nappe phréatique

❾ L'**eau épurée** est rejetée dans la rivière ou bien conduite au centre de traitement pour devenir potable.

Dans le bassin d'aération, les **bactéries** « digèrent » les déchets et les impuretés.

station d'épuration

Les déchets, sous la forme de **boues**, sont récupérés généralement pour servir d'engrais.

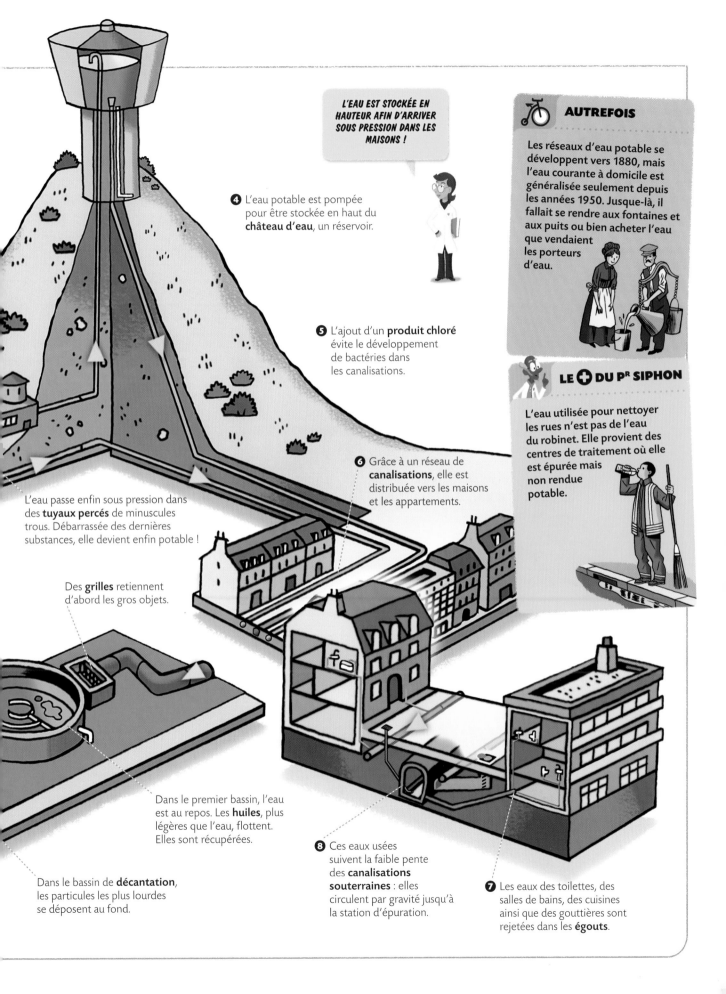

L'EAU EST STOCKÉE EN HAUTEUR AFIN D'ARRIVER SOUS PRESSION DANS LES MAISONS !

❹ L'eau potable est pompée pour être stockée en haut du **château d'eau**, un réservoir.

❺ L'ajout d'un **produit chloré** évite le développement de bactéries dans les canalisations.

L'eau passe enfin sous pression dans des **tuyaux percés** de minuscules trous. Débarrassée des dernières substances, elle devient enfin potable !

❻ Grâce à un réseau de **canalisations**, elle est distribuée vers les maisons et les appartements.

Des **grilles** retiennent d'abord les gros objets.

Dans le premier bassin, l'eau est au repos. Les **huiles**, plus légères que l'eau, flottent. Elles sont récupérées.

Dans le bassin de **décantation**, les particules les plus lourdes se déposent au fond.

❽ Ces eaux usées suivent la faible pente des **canalisations souterraines** : elles circulent par gravité jusqu'à la station d'épuration.

❼ Les eaux des toilettes, des salles de bains, des cuisines ainsi que des gouttières sont rejetées dans les **égouts**.

AUTREFOIS

Les réseaux d'eau potable se développent vers 1880, mais l'eau courante à domicile est généralisée seulement depuis les années 1950. Jusque-là, il fallait se rendre aux fontaines et aux puits ou bien acheter l'eau que vendaient les porteurs d'eau.

LE ✚ DU Pʳ SIPHON

L'eau utilisée pour nettoyer les rues n'est pas de l'eau du robinet. Elle provient des centres de traitement où elle est épurée mais non rendue potable.

chapitre 3

LES

LOISIRS

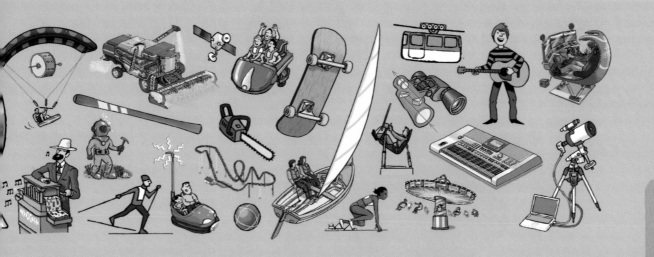

Le roller et le skate-board

Les roues des rollers ou des skates tournent drôlement bien. Pourquoi ?

C'est parce qu'elles sont montées sur des roulements à billes, Théo. Inventés au 18e siècle, mais généralisés un siècle plus tard, ils ont révolutionné les engins à roues !

❶ roller

C'est un patin à roues alignées. Les roues sont arrondies, ce qui limite les frottements.

Les **roues** ne sont pas des rouleaux, comme sur des patins à roulettes. C'est plus facile pour tourner : un petit mouvement du pied suffit !

La **coque** est solidement attachée à la platine qui porte les roues.

Dans un **roulement**, les billes en acier sont emprisonnées dans une cage, entre deux bagues lubrifiées.

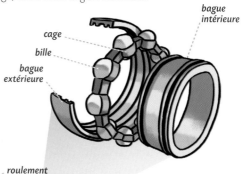

bague intérieure

cage

bille

bague extérieure

roulement

entretoise

roulement

Grâce aux **billes** et à la graisse, les bagues, et donc les roues, tournent presque sans frottement.

Chaque roue est montée avec deux **roulements à billes** séparés par une entretoise.

❷ skate-board

Ce n'est pas seulement une planche montée sur des roulettes : la planche peut s'incliner, ce qui permet les changements de direction.

La **roue** est montée avec deux roulements à billes.

roulement

écrou

roue

roulement

moyeu

embase

Chaque **moyeu** est fixé sur une embase en caoutchouc. Ils peuvent bouger l'un par rapport à l'autre.

Sur le **moyeu** sont assemblées les roues.

❶ Lorsque la planche est horizontale, les moyeux sont parallèles : le skate va tout droit.

❷ Lorsque le corps appuie à gauche, la planche s'incline. Grâce à l'articulation du moyeu, les roues s'orientent. Le skate va à gauche.

❸ Si le corps appuie à droite, le skate va à droite.

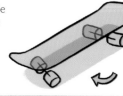

Boules, balles et ballons

Les balles ont parfois des trajectoires curieuses. C'est dû à la frappe, Pr Siphon ?

Oui, mais pas seulement, Julia ! Les trajectoires dépendent aussi de la balle, de sa forme, de la résistance de l'air. Et les rebonds varient en fonction du sol !

❶ rebonds

Les chocs d'une balle sur le sol sont plus ou moins élastiques. Les rebonds diffèrent selon que la balle ou le sol sont déformables ou non. C'est une question d'énergie !

LES FROTTEMENTS SUR LE SOL ET DANS L'AIR AMORTISSENT PEU À PEU LES REBONDS.

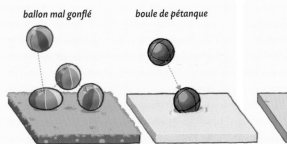

ballon mal gonflé

boule de pétanque

Le ballon s'écrase sur le gazon.

La boule déforme le sable.

L'**énergie acquise** lors de la chute est **absorbée** lors du choc : la balle ou le sol se déforment. Ici, le ballon rebondit à peine, la boule pas du tout.

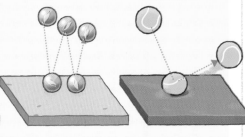

bille

balle de tennis

La bille rebondit sans se déformer ni déformer le sol en béton.

La balle rebondit en se déformant, la terre battue est marquée.

L'**énergie acquise** lors de la chute permet à la bille et à la balle de **remonter**. Selon la déformation de la balle et du sol, la balle remonte plus ou moins haut.

❷ coup franc au football

En tournant sur lui-même, le ballon entraîne l'air qui est autour de lui. L'air étant comprimé d'un côté, la balle est aspirée de l'autre côté : c'est l'effet Magnus.

force de Magnus   *air accéléré*

rotation   *air*

air ralenti

❶ Le ballon, frappé très fort de l'intérieur du pied droit, **tourne sur lui-même**.

❷ Il commence par suivre une **ligne droite**. En raison de sa grande vitesse, la rotation sur lui-même n'a pas d'effet.

❸ Puis le ballon ralentit. Cette fois, sa rotation le fait **dévier** : aspiré par les mouvements de l'air, il s'écarte vers la gauche.

Le chronométrage

Comment peut-on mesurer des temps au centième de seconde, Pr Colza ?

Bien que ce soient des systèmes très sophistiqués, c'est assez simple ! Il faut seulement détecter très précisément le départ et l'arrivée et communiquer instantanément ces informations à l'ordinateur qui calcule la durée.

❶ chronométrage informatique

Au coup de pistolet, le compteur de l'ordinateur se déclenche. Grâce à un capteur optique, il enregistre les franchissements du faisceau lumineux de la ligne d'arrivée.

Une fois les résultats validés par les juges, l'ordinateur affiche les temps sur un **panneau électronique**.

Chaque starting-block est équipé d'un **haut-parleur**. Cela permet aux coureurs d'entendre le coup de pistolet en même temps.

La **caméra ultra-rapide** enregistre les arrivées. L'ordinateur reconstitue la photo finish.

Un **émetteur** relié à un capteur de mouvement informe le juge de tout faux départ.

À QUOI SERT LA PHOTO FINISH ?

ELLE PERMET DE CLASSER les coureurs d'une arrivée très serrée (sprint, course hippique ou automobile). Constituée par le collage des images de la caméra, elle distingue les arrivées et repère le temps de chaque coureur.

❷ chronométrage à distance

Les dossards des skieurs comportent une étiquette RFID qui conserve en mémoire leur numéro.

Des **lecteurs RFID** placés le long de la piste informent des temps intermédiaires.

Au passage de la ligne d'arrivée, les **étiquettes RFID** des skieurs transmettent leur information au lecteur.

Le passage du skieur sous le **portique de départ** déclenche le chronométrage.

LES INFORMATIONS DES LECTEURS RFID SONT TRANSMISES PAR ONDES RADIO AU CHRONOMÈTRE.

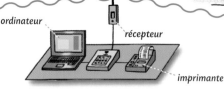

ordinateur

récepteur

imprimante

L'**ordinateur** calcule la performance et classe les skieurs.

L'arbitrage électronique

Qui déclenche les voyants lumineux signalant les touches des escrimeurs ?

L'arbitre électronique, Théo ! Les deux escrimeurs y sont reliés par un fil. À chaque assaut, la première touche est enregistrée et signalée par un voyant. Attention, selon l'arme, le circuit électrique est différent !

Les règles varient selon les armes. Au fleuret, la touche est valable si elle est portée de la pointe sur la cuirasse ; à l'épée, de la pointe sur n'importe quel point du corps ; au sabre, du tranchant ou de la pointe au-dessus de la ceinture.

Le **président** valide les touches. Le score s'affiche.

L'arbitre électronique commande l'allumage d'un des deux voyants.

cuirasse

fleuret

Le **fil de corps** assure la liaison électrique entre le fleuret et l'arbitre électronique.

fil de corps

assaut de fleuret

fil de corps

Les fleurettistes portent une **cuirasse conductrice** faite de fibres métalliques tressées, qui délimite la zone valable.

VOICI LES CIRCUITS DU FLEURET ET DE L'ÉPÉE EN CAS DE TOUCHE VALABLE.

AU SABRE, LE CIRCUIT ÉLECTRIQUE EST ENCORE DIFFÉRENT !

fleuret

zone de touche

Si le fleuret touche la **cuirasse métallique**, cela ferme le circuit. Le courant passe et le voyant s'allume.

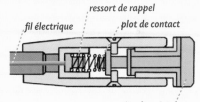

ressort de rappel

plot de contact

fil électrique

tête de pointe

La **tête de pointe** presse le ressort et établit un contact électrique entre le fil de la lame du premier escrimeur et la cuirasse du second.

épée

sabre

fleuret

épée

zone de touche

Si l'épée touche l'**adversaire**, cela ferme le circuit. Le courant passe et le voyant s'allume.

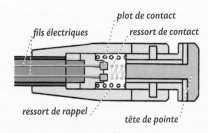

plot de contact

fils électriques

ressort de contact

ressort de rappel

tête de pointe

La **tête de pointe** presse le ressort et établit un contact électrique entre les deux fils de la lame.

La fête foraine

*Les manèges **tournent**,* virent, bougent dans tous les sens. C'est la fête !

Oui, Julia. c'est la fête… La fête des phénomènes physiques ! Les transferts d'énergie, les chocs, les frottements, les équilibres de forces… sont au cœur de toutes ces attractions foraines.

➊ autos tamponneuses

Les chocs entre ces voitures électriques sont amortis par les bandes de caoutchouc.

grillage d'alimentation

balai

Le **caoutchouc** se déforme. Il absorbe une partie de l'énergie lors du choc.

fourche de liaison

moteur électrique

plancher en métal

Le courant passe entre le plafond en grillage et le sol métallique sur lequel frotte un **balai**.

➊ En introduisant un **jeton** dans la fente, on déclenche l'interrupteur qui met l'auto tamponneuse en service.

➋ Pour fournir du courant électrique au moteur, il faut appuyer sur la **pédale**.

➌ Comme le **moteur** est monté dans la roue, pour reculer, il suffit de tourner le volant d'un demi-tour.

➍ Le forain coupe l'**alimentation** électrique du manège, les voitures s'arrêtent.

Question de choc
L'énergie du mouvement de la voiture est transmise à la voiture poussée.

Dans un choc frontal ou latéral, l'échange d'énergie engendre le recul ou le déplacement des voitures. Les trajectoires dépendent de la **vitesse** et de l'**impact**.

➋ manège

La rotation rapide donne des sensations car les capteurs d'équilibre dans l'oreille ne sont plus en accord avec ce que l'on voit.

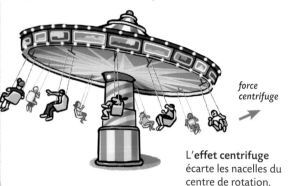

force centrifuge

L'**effet centrifuge** écarte les nacelles du centre de rotation.

➌ grande roue

Ce manège vertical est formé d'une roue panoramique de plus de 150 mètres !

La grande roue est entraînée par des **roues** équipées de pneus.

roues de transmission

moteur

❹ montagnes russes

Sur ce chemin de fer très sinueux,
les wagons n'ont pas de moteur !

Pour le **looping**, le train
doit avoir une vitesse
suffisante pour atteindre
le haut de la boucle.

Lors de la montée, le wagon est tiré par
une **chaîne** actionnée par un moteur.
Grâce à une **crémaillère** et une roue
qui ne tourne que dans un sens, le
wagon monte en toute sécurité.

*tête
tournante*

*fil de
barbe à papa*

DANS UN GRAND HUIT,
LES BOSSES SONT DE
MOINS EN MOINS HAUTES
POUR QUE LES WAGONS
PUISSENT REMONTER !

COMMENT ON
FABRIQUE DE LA
BARBE À PAPA ?

LE SUCRE EN POUDRE et
le colorant introduits
dans le trou central sont
chauffés par une résistance
électrique. Le sucre, cuit
comme un caramel dur, sort
en fils fins par les orifices
de la tête tournante grâce
à l'effet centrifuge !

L'**énergie accumulée** dans la
descente permet aux wagons de
remonter, mais moins haut que la
première fois : ils perdent une partie
de l'énergie à cause des frottements
de leurs roues sur les rails.

Des **capteurs** sont disposés
sur les rails. Les vibrations
qu'ils enregistrent informent
l'ordinateur de contrôle de
la sécurité du manège.

Les **harnais de sécurité**
maintiennent le corps sur le siège.
Le train ne peut démarrer que si
tous les harnais sont bloqués.

Chaque **rail** est pris en sandwich
entre quatre roues en caoutchouc.
Le wagon est solidement accroché.

Cette carabine fonctionne un peu comme une sarbacane, Pr Colza ?

Tout à fait, Théo ! C'est l'air comprimé qui se détend et expulse le plomb. Plus la poussée est forte, plus le projectile va loin. Mais pour crever les ballons ou percer le carton, à la fête foraine, il faut bien viser !

Une carabine à air comprimé n'est pas une arme à feu ! C'est la détente du gaz comprimé qui propulse le projectile.

guidon
hausse
chambre
canon
viseur
bras d'armement
piston
crosse
ressort
gâchette

plomb

La **partie creuse** de la balle reçoit l'air comprimé. Les **stries**, en faisant tourner la balle sur elle-même, lui permettent de garder sa trajectoire.

LA LIGNE DE VISÉE, C'EST UNE LIGNE IMAGINAIRE ALLANT DE L'ŒIL À LA CIBLE EN PASSANT PAR LE VISEUR, LA HAUSSE ET LE GUIDON.

① Lorsqu'on rabat le canon, le bras d'armement pousse en arrière le **piston**. L'air entre dans la chambre. Le **ressort** est comprimé.

② Le **plomb** est logé dans son emplacement et bloqué par le canon remis en position. La chambre est hermétiquement fermée.

Le **bras d'armement** est un levier : il suffit d'un petit mouvement de la main sur le canon pour qu'il pousse le piston qui comprime le ressort.

③ L'action sur la gâchette libère le **ressort**. L'air de la chambre se comprime. Le plomb est projeté par la **pression de l'air** s'échappant par le minuscule orifice.

Le simulateur

Pour bien simuler la réalité, il doit falloir un ordinateur très puissant ?

Bien sûr, Julia ! L'ordinateur doit être aussi très rapide pour pouvoir réagir instantanément à toutes les actions de l'utilisateur et exécuter les instructions du programme où tout a été prévu.

Initialement développées pour l'apprentissage du pilotage, ces attractions simulent la conduite dans un environnement **virtuel**.

❶ Sur l'écran panoramique, les **images de synthèse** reconstituent l'environnement.

❷ Les actions sur le volant et les pédales sont transformées en **signaux électriques**.

❸ L'**ordinateur** reçoit ces signaux électriques et les traite selon son programme.

❹ Immédiatement, les im**ages** de l'**écran** changen**t**.

haut-parleur

caisses de vibration

ordinateur

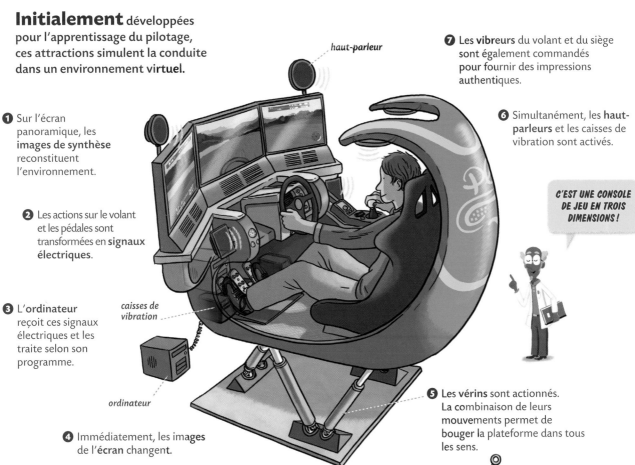

❼ Les **vibreurs** du volant et du siège sont également commandés pour fournir des impressions **authentiques**.

❻ Simultanément, les **haut-parleurs** et les caisses de vibration sont activés.

C'EST UNE CONSOLE DE JEU EN TROIS DIMENSIONS !

❺ Les **vérins** sont actionnés. La **c**ombinaison de leurs **mouve**ments permet de **bouger la** plateforme dans tous les sens.

QUESTION de PRINCIPE

Le vérin hydraulique

Pour lever une benne de camion, pour pousser des cartons sur une chaîne d'emballage, pour animer un manège... on utilise des vérins. Un vérin hydraulique est un tube dans lequel se déplace une tige et un piston poussés par de l'huile sous pression.

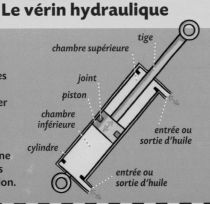

tige

chambre supérieure

joint

piston

chambre inférieure

cylindre

entrée ou sortie d'huile

entrée ou sortie d'huile

Le **distributeur** dirige l'huile comprimée par une pompe dans l'une des deux chambres. L'huile sous pression pousse le **piston** : la **tige** descend ou monte, l'huile de l'autre chambre est expulsée vers le distributeur. Le siège se baisse ou monte.

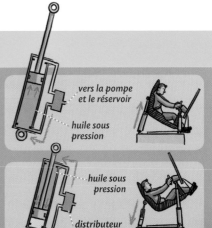

vers la pompe et le réservoir

huile sous pression

huile sous pression

distributeur

Pourquoi faut-il porter des lunettes pour voir un film en trois dimensions ?

Pour voir en relief, on trompe le cerveau en projetant un film pour chaque œil. Des lunettes spéciales sélectionnent les images. Il en existe trois sortes !

LE CINÉMA 3D PERMET DE VOIR LES IMAGES EN RELIEF. LES 3 DIMENSIONS SONT LA HAUTEUR, LA LARGEUR... ET LA PROFONDEUR !

Un **film** analogique ou numérique est projeté. Il comporte deux séries d'images avec une légère différence de perspective.

Des **lunettes** spéciales permettent aux spectateurs de recréer la vision en 3D des images projetées.

Les images sont filmées par une **caméra stéréoscopique**. Elle a deux objectifs juxtaposés pour reproduire la vision de chaque œil. L'écart entre les objectifs est le même qu'entre nos deux yeux.

ANECDOTE

Le film *Avatar* de James Cameron, sorti en 2009, détient tous les records des films en relief : superproduction la plus coûteuse de l'histoire, le plus d'entrées enregistrées de tous les temps et des recettes exceptionnelles. Il a fallu quinze ans pour inventer la technologie de ce succès en 3D !

EXPÉRIENCE

Pas si facile de verser de l'eau dans un verre ou de rattraper une balle en fermant un œil. D'un seul œil, la perception des distances et du relief est affaiblie. Les illusions d'optique révèlent le travail du cerveau. Combien de pattes a cet éléphant ?

Le **fauteuil dynamique** (ou immersif) reçoit des signaux associés aux images projetées. Son programme le fait vibrer, secouer ou pencher au gré des actions vues.

Les spectateurs bénéficient aussi d'un **son 3D**. La disposition des **haut-parleurs** permet de créer un environnement sonore avec des sons plus ou moins distants provenant de droite ou de gauche, d'en haut ou d'en bas, de côté, de devant ou de derrière.

COMBIEN Y A-T-IL D'IMAGES PAR SECONDE DANS UN FILM 3D ?

POUR LES DEUX YEUX, il en faudrait 48 ! Mais l'image scintillerait malgré la persistance rétinienne. Plus de souci avec le triple flash : 144 images par seconde !

Les lunettes polarisantes

Les verres de ces lunettes filtrent la lumière.

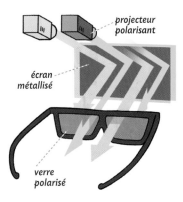

projecteur polarisant

écran métallisé

verre polarisé

Chaque **projecteur** est équipé d'un filtre qui oriente les ondes lumineuses de chaque film : c'est la **polarisation** de la lumière.

Les images des deux films sont projetées en même temps sur un **écran métallisé** qui réfléchit la lumière des films.

Grâce aux **verres** polarisants, les ondes lumineuses sont **filtrées** pour que chaque œil visionne son film.

Le cerveau superpose les deux images et reconstruit la profondeur et le relief. C'est une illusion d'optique !

Les lunettes synchronisées

Ces lunettes sont équipées de piles car elles sont actives : leurs verres changent !

Le **projecteur** émet des signaux infrarouges ou radio qui synchronisent les lunettes pour que chaque œil reçoive alternativement ses images.

Les deux séries d'**images** sont projetées à très haute fréquence afin d'éviter un aspect saccadé.

Les **verres** sont composés de **cristaux liquides.** Activés électriquement, ils rendent chaque verre alternativement noir ou transparent.

Grâce à la persistance rétinienne, le cerveau recrée la perception en 3 dimensions.

Les lunettes bicolores

Ces lunettes aux verres rouge et cyan reconstituent des images dont les couleurs ont été décomposées.

Les images des deux films sont décomposées selon les couleurs **rouge, vert** et **bleu.** Un film est rouge, l'autre vert et bleu (cyan).

À la projection, les deux films légèrement décalés sont superposés sur l'**écran.**

Avec les **lunettes bicolores**, l'œil gauche voit le film rouge et le droit, le film vert et bleu.

Le cerveau superpose ces deux images pour percevoir la profondeur et le relief.

La vision

La vision en relief au cinéma repose sur deux principes : la vision binoculaire et la persistance rétinienne.

Chacun de nos yeux ne voit pas la même image. Si on regarde un objet à 2 ou 3 mètres en fermant un œil puis l'autre, on ne voit pas exactement le même cadrage. La vision **binoculaire** (avec les deux yeux) permet de voir en relief.

Lorsque nous regardons une image, elle reste quelques millisecondes en mémoire sur la rétine de chaque œil. C'est la **persistance rétinienne**. Dans un film ou un dessin animé en 2D, 24 images par seconde sont projetées. Notre cerveau superpose ces images pour donner l'effet d'animation.

Regarde au moins 15 secondes le **cercle ci-dessous** puis ensuite fixe le point au centre du carré à droite... Le cercle reste imprimé dans tes yeux et apparaît à l'intérieur du carré !

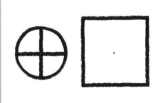

Les instruments à cordes

Ce sont les vibrations des cordes qui font les sons, Pr Colza ?

Tout à fait, Julia. Toutefois, la façon de faire vibrer les cordes est différente selon qu'il s'agit d'un piano, d'un violon ou d'une guitare : selon les instruments, les cordes sont frappées, frottées ou pincées.

❶ piano

Lorqu'on appuie sur une touche, le marteau frappe une, deux ou trois cordes (selon les notes) qui se mettent à vibrer. Dès que la touche est relâchée, l'étouffoir arrête la vibration.

❸ Les **chevalets**, des pièces de bois, transmettent les vibrations à la table d'harmonie.

❹ La **table d'harmonie,** une feuille de bois, amplifie ces vibrations. Les notes sont produites.

❶ Les **cordes en acier** sont tendues sur un cadre.

❷ Les **marteaux** frappent les cordes qui vibrent.

Le **clavier** est généralement constitué de 88 touches (52 blanches et 36 noires).

cadre en fonte

chevalet

table d'harmonie

corde

La **pédale douce** rapproche le marteau des cordes : la force du marteau est plus faible, le son moins fort.

La **tête du marteau** est recouverte de feutrine.

étouffoir

corde

tête du marteau

levier

La **pédale du centre** fait glisser une bande de feutrine entre le marteau et la corde : le son est étouffé.

pédale douce

pédale du centre

pédale forte

touche

La **pédale forte** soulève les étouffoirs. La corde continue à vibrer une fois que la touche est relâchée.

❷ violon

Le frottement de l'archet sur une ou plusieurs des quatre cordes produit des vibrations qui sont amplifiées par la **caisse de résonance**.

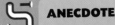

AU VIOLON, ON PEUT AUSSI PINCER LES CORDES, COMME SUR UNE GUITARE. CE SONT LES PIZZICATI !

cheville

corde

touche

chevalet

Les **chevilles** permettent de tendre les cordes pour les accorder.

table d'harmonie

barre d'harmonie

❻ Le son, amplifié dans la caisse de résonance, sort par les **ouïes**.

ouïe

âme

❺ Les vibrations sont transmises au fond de la caisse de résonance par l'**âme**, un tout petit morceau de bois.

❶ La mèche de l'**archet**, en crins de cheval, frotte les cordes, métalliques.

❷ Les vibrations, et donc les notes, varient selon le **diamètre des cordes** et leur **longueur** qui est liée à la position des doigts sur le manche.

baguette

mèche

mentonnière

❸ Le **chevalet** transmet les vibrations à la **table d'harmonie**.

❹ La **barre d'harmonie** facilite la propagation des sons à l'intérieur de la caisse de résonance.

ANECDOTE

Vers 1650, un érudit allemand, Athanasius Kircher, avait imaginé un « orgue à chats ». Les chats étaient rangés dans des boîtes disposées selon la hauteur de leur miaulement. Lorsqu'on appuyait sur une touche, on pinçait la queue d'un chat... qui miaulait la note adéquate !

EXPÉRIENCE

La hauteur des sons dépend du diamètre et de la longueur des cordes. Ainsi, une grosse corde vibre moins vite et produit un son plus grave. Vérifie-le par toi-même en tendant des bracelets élastiques sur une boîte.

❸ guitare électrique

Dans une guitare électrique, il n'y a pas de caisse de résonance, mais des micros qui transforment la faible onde sonore en un signal électrique, ensuite amplifié.

La guitare est un instrument à **cordes pincées**. Les doigts du musicien serrent les **frettes** pour produire les différentes notes.

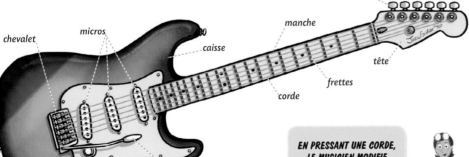

chevalet

micros

caisse

clés

manche

tête

frettes

corde

Le **vibrato** sert à modifier la hauteur du son.

boutons de contrôle

prise du cordon pour l'amplificateur

EN PRESSANT UNE CORDE, LE MUSICIEN MODIFIE LA LONGUEUR DE LA CORDE, ET DONC LA HAUTEUR DU SON.

LE ➕ DU Pʳ SIPHON

La sonorité des Stradivarius, qui a fait leur renommée, serait liée à la qualité du bois utilisé au début du 18e siècle, et peut-être à l'effet d'un traitement chimique contre les moisissures.

Les instruments à vent

Comment produit-on des sons en soufflant dans un instrument à vent ?

Les instruments à vent sont des sortes de tuyaux percés. En bouchant des trous avec ses doigts ou avec des clés, ou en actionnant des pistons, le musicien modifie la colonne d'air, et donc le son.

❶ trompette

La vibration de l'air, produite par les lèvres, se propage dans la tubulure, de l'embouchure jusqu'au pavillon.

❸ En actionnant les trois **pistons,** on peut jouer sept notes supplémentaires.

❶ Par son souffle, le trompettiste fait vibrer l'air dans la cuvette de l'**embouchure**.

❷ En faisant varier la **pression de l'air** au niveau des lèvres, on multiplie les possibilités harmoniques.

❹ Grâce à sa forme, le **pavillon** amplifie les vibrations de l'air.

piston

pavillon

embouchure

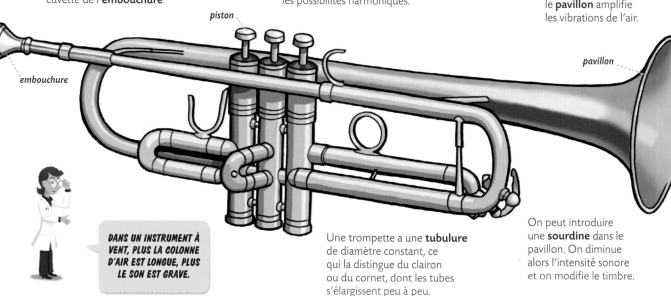

> DANS UN INSTRUMENT À VENT, PLUS LA COLONNE D'AIR EST LONGUE, PLUS LE SON EST GRAVE.

Une trompette a une **tubulure** de diamètre constant, ce qui la distingue du clairon ou du cornet, dont les tubes s'élargissent peu à peu.

On peut introduire une **sourdine** dans le pavillon. On diminue alors l'intensité sonore et on modifie le timbre.

LE FONCTIONNEMENT DES PISTONS

Lorsqu'un **piston** est enfoncé, la longueur de la **colonne d'air** et la vibration de l'air sont modifiées.

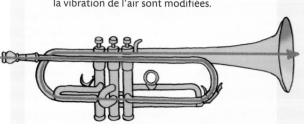

Le piston est **levé**, la soupape est fermée. L'air ne passe pas dans le coude.

Le piston est **enfoncé**, la soupape est ouverte. L'air passe dans le coude. La colonne d'air s'en trouve allongée. Le son est plus grave.

❷ saxophone

Le bec porte une anche, une mince membrane qui vibre et fait vibrer la colonne d'air dans l'instrument.

bocal coudé

bec

anche

ligature

Le **corps** du saxophone, conique, est en laiton.

Le souffle du saxophoniste fait vibrer l'**anche** en roseau contre la table du bec.

Des **tiges** relient les clefs aux tampons qui ferment les trous.

tige

pavillon

Les **clefs** commandent l'ouverture ou la fermeture des trous. Il y en a une vingtaine.

En ouvrant ou fermant les trous, le saxophoniste modifie la longueur de la **colonne d'air**.

La longueur du tube impose des **formes repliées**. Dans la famille des saxophones, seul le soprano, plus aigu et donc moins long, est droit.

DANS UN HAUTBOIS, IL Y A DEUX ANCHES QUI VIBRENT ET FONT VIBRER L'AIR.

AUTREMENT

Un accordéon est composé d'un soufflet qui aspire et expire l'air. Les touches ouvrent les passages dans lesquels l'air fait vibrer une anche. C'est comme un harmonica mécanique.

DEVINETTE

Une flûte de pan n'a pas de trous. Comment sont produites les différentes notes ?

Grâce aux longueurs différentes des tubes : plus le tuyau est long, plus la note est grave.

❸ flûte traversière

Elle fonctionne comme un sifflet : l'air qui heurte le biseau disposé à l'embouchure vibre.

clefs de la main droite

patte d'ut

clefs de la main gauche

Pour jouer dans le **registre aigu**, le flûtiste modifie l'angle d'attaque et la pression de l'air sur l'embouchure.

Les **clefs** ferment les trous.

clefs de pouce

ON LA TIENT PERPENDICULAIREMENT PAR RAPPORT AU CORPS, D'OÙ SON NOM DE TRAVERSIÈRE.

LE ✚ DU PR COLZA

L'air des poumons, du larynx, de la bouche et de l'instrument à vent constitue une colonne d'air. Les musiciens font corps avec leur instrument et jouent avec leurs muscles pour obtenir des sonorités extraordinaires.

plaque d'embouchure

Les **doigtés**, c'est-à-dire la position ouverte ou fermée des clefs, donnent les différentes notes.

La **patte d'ut** permet au petit doigt de la main droite, en fermant ces clefs, de descendre jusqu'au do grave.

Comment fait-on de la musique avec ce piano sans cordes, Pr Colza ?

C'est un instrument numérique avec une banque de sonorités en mémoire. Les boutons et les touches du clavier commandent la lecture des notes selon les instruments, les accompagnements, les rythmes...

Sous le clavier, différents composants stockent les échantillons sonores, mélangent les sons et créent des effets sonores.

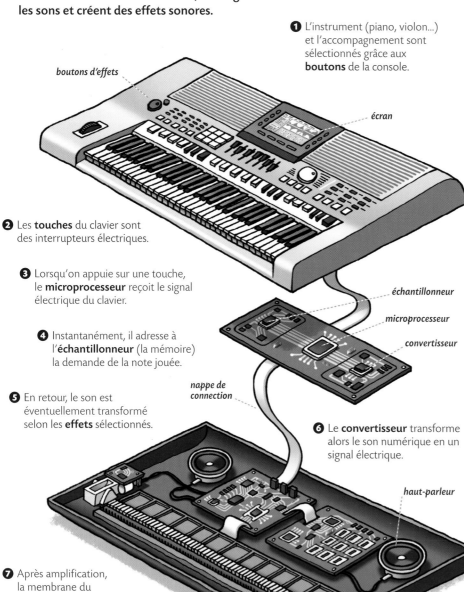

❶ L'instrument (piano, violon...) et l'accompagnement sont sélectionnés grâce aux **boutons** de la console.

boutons d'effets

écran

❷ Les **touches** du clavier sont des interrupteurs électriques.

❸ Lorsqu'on appuie sur une touche, le **microprocesseur** reçoit le signal électrique du clavier.

❹ Instantanément, il adresse à l'**échantillonneur** (la mémoire) la demande de la note jouée.

échantillonneur

microprocesseur

convertisseur

❺ En retour, le son est éventuellement transformé selon les **effets** sélectionnés.

nappe de connection

❻ Le **convertisseur** transforme alors le son numérique en un signal électrique.

haut-parleur

❼ Après amplification, la membrane du **haut-parleur** vibre. Le son est restitué.

AUTREMENT

Pour mélanger les sons numériques avec la musique des disques en vinyle, les DJ utilisent des ordinateurs plutôt que des synthétiseurs. Pas besoin de clavier !

AUTREFOIS

Les orgues de barbarie utilisent aussi des musiques en mémoire. La manivelle actionne un soufflet tout en faisant avancer le carton dont les trous ouvrent les tuyaux au passage de l'air.

LE ➕ DU Pr SIPHON

Un synthétiseur virtuel est un logiciel qui permet de composer des musiques, de les arranger et de les mélanger. C'est la MAO, la Musique Assistée par Ordinateur.

81 Le son

Tout ce qui vibre produit un son : les cordes vocales, les cordes d'une guitare, l'air dans un sifflet, la membrane d'un tambour, la rotation d'un moteur... Ces vibrations se propagent dans l'air, dans l'eau, dans les métaux... sous forme d'ondes jusqu'aux oreilles ou tout autre récepteur.

1 Dans l'air, la propagation du son correspond au **déplacement d'une onde**, de molécule en molécule, selon des tranches d'air dilatées et comprimées.

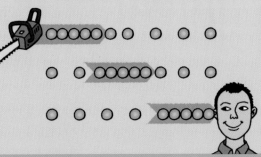

2 Les sons sont caractérisés par leur **volume** (plus ou moins fort), leur **tonalité** ou leur fréquence (grave, médium, aigu), leur **timbre** (distinction entre le « la » d'une trompette et le « la » d'une harpe) et leur **durée** (coup de tonnerre ou bruit ambiant). La musique est un mélange harmonieux de multiples sons.

volume

tonalité

timbre

3 Les **fréquences**, exprimées en hertz (Hz), correspondent aux notes en musique : l'air ou la corde de l'instrument vibre plus ou moins vite. Certains sons, les **infrasons** et les **ultrasons**, ne sont pas audibles par l'homme mais par certains animaux.

0 Hz   20 Hz   20 000 Hz

infrasons   sons audibles par l'oreille humaine   ultrasons

4 Le **volume sonore** se mesure en décibels (dB) sur une échelle de bruits. L'exposition régulière à des sons de haut niveau sonore peut rendre sourd.

Le **sonomètre** permet de mesurer la pollution sonore.

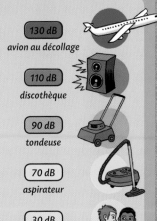

130 dB	*avion au décollage*
110 dB	*discothèque*
90 dB	*tondeuse*
70 dB	*aspirateur*
30 dB	*chuchotement*
0 dB	*laboratoire acoustique*

Applications

Les ultrasons, ces ondes sonores inaudibles, sont utilisés dans de nombreux domaines, notamment la médecine.

LE GEL, SUR LE VENTRE DE LA MAMAN, PERMET DE CHASSER L'AIR, QUI DÉFORMERAIT LES SONS !

L'**échographie**, cette technique d'imagerie médicale, a recours aux ultrasons : la sonde, composée de plusieurs dizaines de petits micros qui vibrent, envoie des ultrasons. Le corps du bébé en renvoie les échos traduits en images par un ordinateur.

Comme le son est une vibration mécanique élastique qui se transmet, on peut **nettoyer des lunettes** dans un bac dont l'eau vibre grâce à des ultrasons.

On se sert aussi des ultrasons pour **chasser certaines espèces nuisibles** comme les moustiques ou les souris, qui les entendent.

Le cerf-volant

Comment pilote-t-on un cerf-volant, Pr Siphon ?

Le cerf-volant évolue dans une fenêtre de vol, un quart de sphère déterminé par la longueur des lignes. En tirant sur les lignes, tu modifies la prise au vent du cerf-volant, et donc son équilibre. Il vire à ta guise.

❶ cerf-volant acrobatique

Tout cerf-volant tient en l'air grâce aux effets du vent sur sa voilure maintenue inclinée.

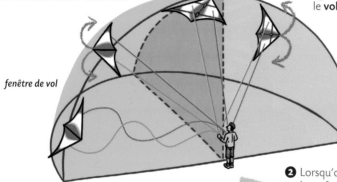

fenêtre de vol

direction du vent

❶ Au zénith, le cerf-volant est en équilibre face au vent. La traction des deux lignes est identique. C'est le **vol stationnaire**.

❷ Lorsqu'on tire la ligne bleue, le cerf-volant amorce un **virage** à droite. En tirant sur la ligne orange, on le fait virer à gauche.

❸ Le vent ne porte plus le cerf-volant lorsqu'il sort de sa **fenêtre de vol**. Il tombe !

❷ kitesurf

Située à une vingtaine de mètres, un cerf-volant propulse le planchiste.

lignes avant

lignes de direction

barre de contrôle

Un dispositif de **sécurité** permet de larguer l'aile en cas de problème.

La **structure gonflable** de l'aile, ou kite, permet le décollage sur l'eau.

Les deux **lignes arrière** assurent la direction.

Les **lignes avant** modifient son inclinaison par rapport au vent.

L'aile est fixée au surfeur par un **harnais**. Ainsi, ses bras n'ont pas à supporter toute la puissance de l'aile.

Le surf est une **planche symétrique** qui permet de naviguer dans les deux sens sans avoir à bouger les pieds.

AUTREFOIS

Né en Chine il y a plus de 2 000 ans, le cerf-volant a d'abord eu un usage militaire : il permettait de faire des signaux, de porter des messages ou encore d'évaluer les distances... Plus tard, il a également servi la science : c'est grâce au cerf-volant que Benjamin Franklin a inventé le paratonnerre !

ET DEMAIN ?

Aujourd'hui, certains cargos sont propulsés... grâce à des cerfs-volants ! La voile de 160 m² s'élève à 300 mètres d'altitude. Elle aide la propulsion du navire pesant 10 000 tonnes et permet d'économiser 20 % d'énergie.

AUTREMENT

Les cerfs-volants les plus simples ont une forme de losange et ne sont maintenus que par une seule ligne. Ils sont plats et constitués d'une toile tendue entre des piquets. La queue donne son équilibre au cerf-volant.

Le voilier

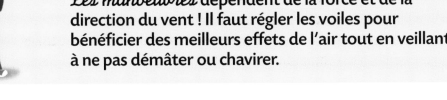

Comment faut-il manœuvrer les voiles pour naviguer, Pr Colza ?

Les manœuvres dépendent de la force et de la direction du vent ! Il faut régler les voiles pour bénéficier des meilleurs effets de l'air tout en veillant à ne pas démâter ou chavirer.

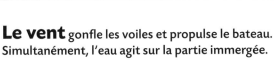

Le vent gonfle les voiles et propulse le bateau. Simultanément, l'eau agit sur la partie immergée.

vent

LA VOILE GONFLÉE A LE PROFIL D'UNE AILE D'AVION !

vent

Le **palan** est indispensable pour régler la voilure.

palan

Par leur **position**, les marins compensent la poussée du vent pour ne pas chavirer.

force hydrodynamique

Face au vent, il faut louvoyer. Cela impose de nombreuses **manœuvres** pour virer de bord.

gouvernail

quille

le bateau avance

force aérodynamique

❶ Le **gouvernail** donne la direction du voilier.

❷ L'écoulement de l'air crée un **effet aérodynamique**. Le bateau avance.

❸ La quille, qui se déplace dans l'eau, subit un **effet hydrodynamique**. Le bateau est freiné et dévié dans l'autre sens.

QUESTION de PRINCIPE

Le palan

Le palan est constitué d'une corde qui relie les poulies de deux rangées, l'une fixe et l'autre mobile. Il réduit l'effort nécessaire pour tendre les voiles.

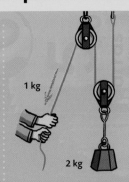

1 kg

2 kg

Un **palan à deux brins** est la combinaison de deux poulies. L'effort est divisé par deux et la longueur de corde multipliée par deux.

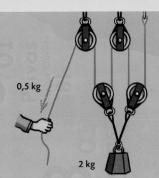

0,5 kg

2 kg

Un **palan à quatre brins** comporte quatre poulies. L'effort est divisé par quatre et la longueur multipliée par quatre. **Plus le nombre de poulies est grand, plus l'effort est divisé !**

Le scaphandre autonome

Qu'y a-t-il dans la bouteille de l'homme-grenouille, Pʳ Siphon ?

De l'air comprimé, Théo ! En transportant l'air dans des bouteilles, les plongeurs sont libres de leurs mouvements. Toutefois, respirer sous l'eau grâce à l'air comprimé reste une délicate affaire de pression. Le détendeur est la solution !

Pour respirer sous l'eau, la pression de l'air fourni doit être égale à la pression de l'eau. Les détendeurs ajustent la pression de l'air à celle de l'eau, qui augmente avec la profondeur.

Le **débit** de l'air comprimé varie avec la pression de l'eau.

Le **détendeur du masque** est composé de deux chambres séparées par un diaphragme mobile. La pression de l'eau et la pression de l'air sont identiques.

Dans le **tuyau**, l'air est moins comprimé que dans la bouteille.

Le **masque** est étanche. Il permet de garder les yeux ouverts grâce à l'air qu'il renferme.

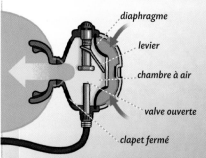

diaphragme

levier

chambre à air

valve ouverte

clapet fermé

❶ **Le plongeur inspire** l'air de la chambre à air. Le mouvement du diaphragme entraîne le levier : la valve s'ouvre, l'air de la bouteille entre.

La **torche sous-marine** permet de voir et d'être vu. Elle éclaire aussi les signes d'échange entre plongeurs.

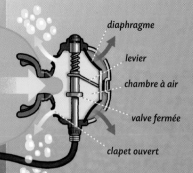

diaphragme

levier

chambre à air

valve fermée

clapet ouvert

❷ **Le plongeur expire**. Le volume de la chambre à air augmente. Le mouvement du diaphragme ferme la valve tandis que les clapets sont poussés et laissent l'air s'échapper.

Le **fusil de chasse** fonctionne à l'air comprimé. C'est un fusil pneumatique.

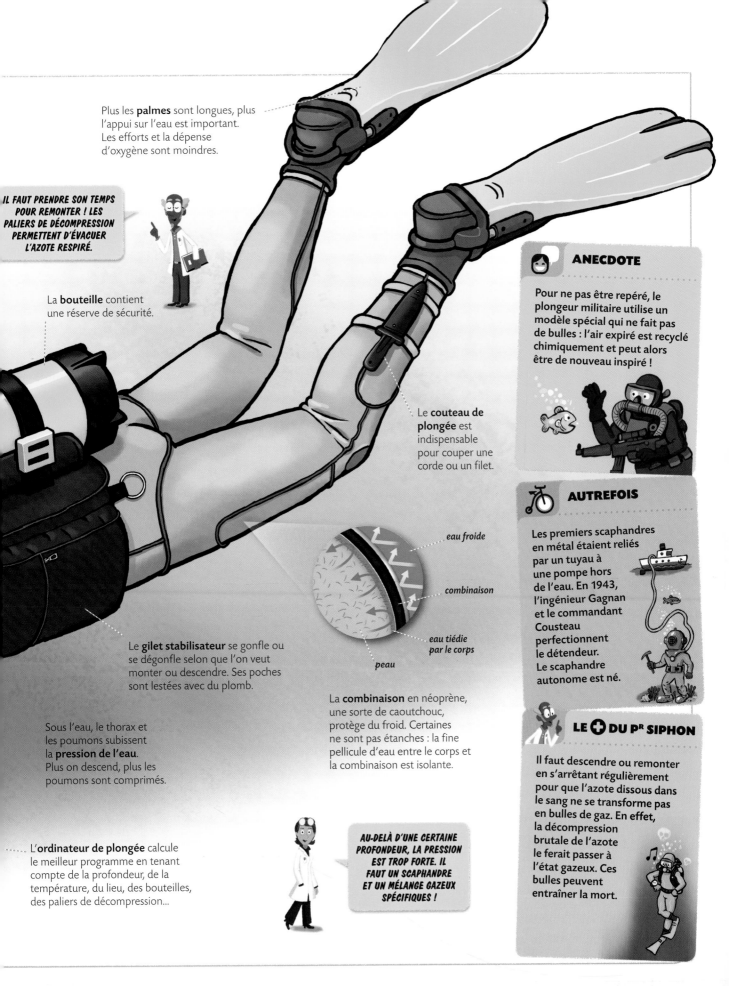

Plus les **palmes** sont longues, plus l'appui sur l'eau est important. Les efforts et la dépense d'oxygène sont moindres.

IL FAUT PRENDRE SON TEMPS POUR REMONTER ! LES PALIERS DE DÉCOMPRESSION PERMETTENT D'ÉVACUER L'AZOTE RESPIRÉ.

La **bouteille** contient une réserve de sécurité.

Le **couteau de plongée** est indispensable pour couper une corde ou un filet.

eau froide

combinaison

eau tiédie par le corps

peau

Le **gilet stabilisateur** se gonfle ou se dégonfle selon que l'on veut monter ou descendre. Ses poches sont lestées avec du plomb.

Sous l'eau, le thorax et les poumons subissent la **pression de l'eau**. Plus on descend, plus les poumons sont comprimés.

La **combinaison** en néoprène, une sorte de caoutchouc, protège du froid. Certaines ne sont pas étanches : la fine pellicule d'eau entre le corps et la combinaison est isolante.

L'**ordinateur de plongée** calcule le meilleur programme en tenant compte de la profondeur, de la température, du lieu, des bouteilles, des paliers de décompression...

AU-DELÀ D'UNE CERTAINE PROFONDEUR, LA PRESSION EST TROP FORTE. IL FAUT UN SCAPHANDRE ET UN MÉLANGE GAZEUX SPÉCIFIQUES !

ANECDOTE

Pour ne pas être repéré, le plongeur militaire utilise un modèle spécial qui ne fait pas de bulles : l'air expiré est recyclé chimiquement et peut alors être de nouveau inspiré !

AUTREFOIS

Les premiers scaphandres en métal étaient reliés par un tuyau à une pompe hors de l'eau. En 1943, l'ingénieur Gagnan et le commandant Cousteau perfectionnent le détendeur. Le scaphandre autonome est né.

LE ✚ DU Pʳ SIPHON

Il faut descendre ou remonter en s'arrêtant régulièrement pour que l'azote dissous dans le sang ne se transforme pas en bulles de gaz. En effet, la décompression brutale de l'azote le ferait passer à l'état gazeux. Ces bulles peuvent entraîner la mort.

Les skis, ce sont juste des planches qui glissent sur la neige, Pr Colza ?

Autrefois, oui ! Aujourd'hui, les skis et les fixations sont des produits de haute technologie qui permettent de concilier vitesse et confort. Mais sais-tu que les skis ne glissent pas vraiment sur la neige ?

Les skis, en contact avec la piste, supportent le poids du skieur et les déformations du terrain.

Afin d'optimiser la pression sur la neige, on choisit la **longueur** de ses skis en fonction de son poids.

Sous la semelle, les **rainures** évacuent l'eau, comme les stries des pneus.

AVEC DES SKIS PARABOLIQUES, POUR TOURNER, IL SUFFIT D'INCLINER LÉGÈREMENT LES SPATULES ARRONDIES.

Les différentes **couches de matériaux** donnent légèreté, souplesse et résistance aux skis.

plastique
fibres de verre
carbone
bois
titane
fibres de verre
Kevlar

Pour s'arrêter, on se sert des **carres** en métal, qui accrochent la neige.

billes d'eau
ski
neige

Le frottement sur la neige produit un **échauffement** du ski.

La neige fond et des **billes d'eau** se forment sous la semelle.

Les skis glissent sur ces minuscules billes d'eau.

1 Les fixations doivent pouvoir **se débloquer en cas de chute**. Pas assez serrées, elles se détachent au moindre mouvement. Trop tendues, elles restent bloquées et c'est le genou qui encaisse le choc.

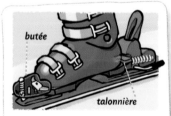

butée
talonnière

2 Les fixations maintiennent le talon et la pointe de la chaussure plus ou moins serrés selon le **réglage des ressorts**.

3 En cas d'écart important, la **butée** permet à la chaussure de tourner sur le ski et d'être détachée.

étrier

4 En cas de choc ou d'arrêt brusque, la **talonnière** recule, l'**étrier** se relève. Le talon de la chaussure est libéré.

frein

5 Lorsque le skieur déchausse, les **freins**, des étriers métalliques, empêchent le ski de glisser sur la neige.

La dameuse et le canon à neige

La neige projetée sur les pistes, c'est de l'eau gelée, Pr Siphon ?

Eh oui, Julia ! L'idée est simple : on pulvérise des gouttelettes d'eau dans de l'air froid pour qu'elles gèlent. La neige des pistes est ensuite damée pour devenir skiable.

❶ canon à neige

L'eau se transforme en neige au niveau du bec à condition que l'air soit froid et sec.

❸ Au niveau de la **buse**, sous l'effet du changement de pression, l'eau est expulsée en petites gouttelettes.

buse

❶ L'**eau** des canons est puisée dans les lacs, les rivières ou les retenues des barrages.

air

eau

❹ Les **gouttelettes** gèlent parce qu'il fait froid et que l'air ambiant n'est pas trop humide.

LES GRAINS DE GLACE OBTENUS NE RESSEMBLENT PAS AUX CRISTAUX DE GLACE DE NEIGE NATURELLE.

❺ Les **grains de glace** s'assemblent entre eux. L'air emprisonné donne un matelas souple de neige fraîche.

❷ Des compresseurs envoient l'eau et l'air sous pression dans les tuyaux.

❷ dameuse

Équipée de chenilles pour gravir les pentes, la dameuse prépare les pistes et façonne les virages pour le ski ou le snowboard.

❸ Le **lissoir** presse la neige et l'uniformise.

❶ La **lame** casse les bosses, pousse la neige et bouche les trous.

lame

lissoir

fraise

Le **réglage** de la vitesse et de la profondeur de la fraise est adapté à la qualité des pistes.

Sous les marques du lissoir, la neige est régulière. Plus la couche est fraisée profondément, plus le matelas est souple.

❷ En tournant, la **fraise** concasse les blocs de glace et pulvérise la neige.

LA DAMEUSE TASSE LA NEIGE ?

OUI, MAIS JUSTE CE QU'IL FAUT ! Très tassée, la neige est trop dure pour les skieurs ; très aérée, elle fond trop vite ! La dameuse concasse aussi les blocs de neige et assouplit le manteau neigeux.

Le téléphérique et le télésiège

Comment tous ces engins peuvent-ils se déplacer sur un fil, Pr Colza ?

Grâce à des roulettes ! Selon les engins, le nombre de câbles varie. Les téléphériques en utilisent trois ; les télécabines, les télésièges et les téléskis, un seul. Dans les engins monocâbles, on peut faire varier le nombre de cabines selon le public à transporter.

❶ téléphérique

Il utilise deux sortes de câbles : des câbles fixes sur lesquels roulent les roues de la cabine et des câbles mobiles qui la tractent.

Lorsqu'une cabine monte, l'autre descend. Le poids de l'une **équilibre** ainsi le poids de l'autre.

Les **câbles porteurs**, fixes, sont tendus entre les deux gares : ce sont des sortes de rails.

Le **câble tracteur**, mobile, forme une boucle entre les deux gares.

Les **cabines** sont accrochées sur le câble tracteur et avancent avec lui.

câble porteur

câble tracteur

Un **câble** est constitué de plusieurs torons eux-mêmes formés de plusieurs fils.

POUR LA SÉCURITÉ DES PASSAGERS, DES CAPTEURS CONTRÔLENT QUE LES TÉLÉSIÈGES SONT BIEN ACCROCHÉS.

contrepoids

Les câbles porteurs sont tendus par des **contrepoids**, des blocs de béton de plusieurs tonnes.

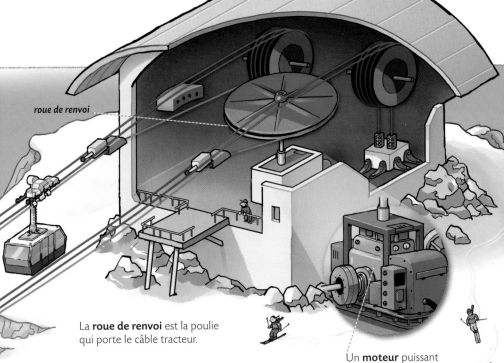

roue de renvoi

La **roue de renvoi** est la poulie qui porte le câble tracteur.

Un **moteur** puissant fait tourner la roue.

levier
ressort de compression
galet
aiguille
mâchoire

L'**aiguille** facilite le passage des pylônes.

❷ télésiège

Les télésièges et les téléskis sont fixés grâce à des pinces sur un câble qui tourne en boucle. Sur certains modèles, ces pinces sont « débrayables ».

ANECDOTE

Vers 1900, les premiers skieurs ont d'abord été tractés collectivement par des télétraîneaux, puis individuellement par des téléluges. Vers 1930, les premiers téléskis ont permis de transporter davantage de skieurs, plus vite et plus haut.

AUTREMENT

Un funiculaire fonctionne aussi avec deux cabines tractées par un câble. Comme le poids de la cabine qui descend tire celle qui monte, la consommation d'énergie du moteur de traction du câble est limitée.

ET DEMAIN ?

La vitesse des télécabines, environ 30 km/h, est équivalente à celle des tramways. Pour gagner de l'espace, certaines villes étudient des projets de « télécabine urbaine », comme il en existe déjà à Rio ou Lisbonne.

1 Le **câble** est enserré entre les mâchoires de la pince. Deux puissants ressorts assurent le serrage.

2 À la gare d'arrivée, une pression sur le **levier** ouvre les mâchoires. Le siège est libéré, les galets roulent alors sur des **rails**.

3 Les sièges avancent à **allure réduite** pour faciliter la descente des passagers, mais sans ralentir toute la ligne.

4 Le siège est ensuite **réinséré** sur le câble. La ligne de télésièges poursuit ainsi le transport des passagers.

Comment cette machine sépare-t-elle les grains de blé de la paille, Pr Colza ?

Elle sépare les grains de la paille et les débarrasse de leurs écailles grâce à un mécanisme astucieux qui bat, secoue, ventile. Plus lourds que les poussières, les grains tombent dans un réservoir.

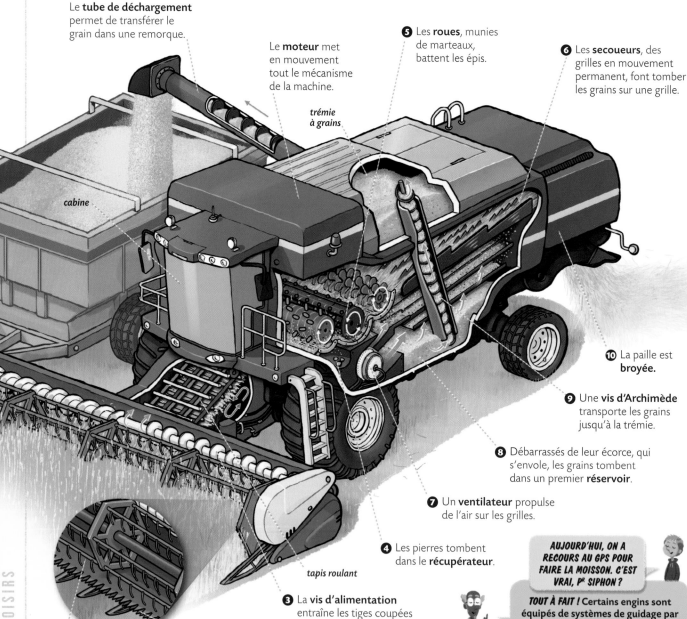

Le **tube de déchargement** permet de transférer le grain dans une remorque.

Le **moteur** met en mouvement tout le mécanisme de la machine.

trémie à grains

❺ Les **roues**, munies de marteaux, battent les épis.

❻ Les **secoueurs**, des grilles en mouvement permanent, font tomber les grains sur une grille.

cabine

❿ La paille est **broyée**.

❾ Une **vis d'Archimède** transporte les grains jusqu'à la trémie.

❽ Débarrassés de leur écorce, qui s'envole, les grains tombent dans un premier **réservoir**.

❼ Un **ventilateur** propulse de l'air sur les grilles.

❹ Les pierres tombent dans le **récupérateur**.

tapis roulant

❸ La **vis d'alimentation** entraîne les tiges coupées sur un **tapis roulant**.

❷ Les dents de la **lame de coupe** les sectionnent.

❶ Le **rabatteur à griffes** couche les tiges.

AUJOURD'HUI, ON A RECOURS AU GPS POUR FAIRE LA MOISSON. C'EST VRAI, Pr SIPHON ?

TOUT À FAIT ! Certains engins sont équipés de systèmes de guidage par satellite. Un premier tour de champ permet de repérer les dimensions du champ. Puis, grâce aux satellites, un calculateur détermine l'itinéraire et commande la moissonneuse.

La culture hors-sol

Comment les tomates peuvent-elles pousser sans terre, Pr Siphon ?

En fait, elles reçoivent tous les éléments nécessaires, Théo ! Les serres, automatisées, sont des usines de production agroalimentaire. Tout est calculé, mesuré, optimisé pour obtenir des tomates de qualité.

Les **chaudières** chauffent la serre, selon l'ensoleillement, pour maintenir une température constante.

Un **ordinateur** règle la distribution des éléments nutritifs, le chauffage, la composition de l'air...

Il communique aux **armoires de contrôle**, disposées dans la serre, les ordres de lancement et d'arrêt des ventilateurs, des robinets...

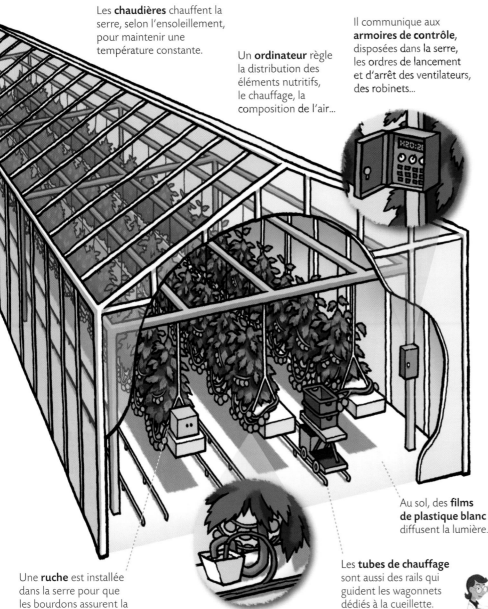

Une **ruche** est installée dans la serre pour que les bourdons assurent la pollinisation des plants.

Un **goutte-à-goutte** arrive à chacun des plants qui reçoit juste la quantité d'éléments nutritifs pour son développement.

Les **tubes de chauffage** sont aussi des rails qui guident les wagonnets dédiés à la cueillette.

Au sol, des **films de plastique blanc** diffusent la lumière.

EXPÉRIENCE

Pas besoin de terre pour faire pousser du cresson ! Il suffit de déposer les graines dans du coton mouillé, d'arroser un peu et de placer le pot dans un endroit chaud et lumineux. En quelques jours, les jeunes pousses apparaissent !

graines
coton hydrophile
papier absorbant

LE ➕ DU Pr SIPHON

Dans une serre, sous une cloche en verre comme dans une véranda, il fait chaud parce que l'air chauffé par le soleil est emprisonné et protégé du vent, mais aussi parce que le verre limite les pertes par rayonnement : c'est l'effet de serre.

SI J'AI BIEN COMPRIS, LA CHAUDIÈRE NE SERT PAS QU'À CHAUFFER ?

TOUT À FAIT, JULIA. ELLE PRODUIT AUSSI DU GAZ CARBONIQUE. Ce gaz est diffusé dans la serre car il est indispensable à la croissance des tomates. Des réactions chimiques ont lieu dans leurs feuilles en présence de lumière : elles transforment le gaz carbonique en oxygène et produisent la matière organique. C'est la photosynthèse !

C'est génial, un robot qui trait les vaches tout seul ! Mais comment fait-il ?

Piloté par un puissant ordinateur, un robot identifie chaque vache et s'adapte à sa morphologie. Grâce aux données en mémoire, il configure le bras mobile portant les gobelets trayeurs pour qu'ils se positionnent sous le pis.

1 Le robot reçoit et analyse les informations de l'**étiquette RFID** : l'animal est identifié et reconnu.

La vache porte une boucle d'oreille avec une **étiquette électronique** d'identification à distance (RFID).

Grâce à l'analyse de l'**image vidéo** et au calcul des distances mesurées par des **rayons lumineux**, l'automate localise les tétines. Chaque gobelet est guidé jusqu'à sa mise en place.

tétine

rayon lumineux

gobelet

QUE SE PASSE-T-IL, SI LA VACHE EST DÉJÀ VENUE, Pr SIPHON ?

PAS DE PROBLÈME, JULIA ! Le robot commande par ondes radio l'étiquette électronique qui lui envoie de faibles décharges électriques. Elle comprend vite qu'elle ne peut pas rester !

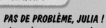

2 La vache s'installe. Ses tétines sont lavées, le **bras mobile** portant les gobelets se met en place. La traite commence.

3 Lorsque le **débit** devient faible, le robot stoppe la traite. Tétines et gobelets sont à nouveau lavés. Le robot est prêt pour un nouveau cycle.

4 Des **compléments alimentaires**, calculés selon son âge, son poids et sa production de lait, lui sont donnés.

5 Le **lait** est analysé, refroidi et stocké dans une citerne à 4 °C, puis il est vite transporté à la laiterie.

91 L'identification par radiofréquences

L'identification à distance est un système composé d'un lecteur relié à un ordinateur et d'étiquettes. Une étiquette RFID est un module électronique imprimé sur un support souple ou incorporé à une carte. Elle est composée d'une puce et d'une antenne.

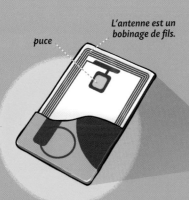

puce

L'antenne est un bobinage de fils.

1 Le **lecteur** intégré dans la borne émet des **ondes radio**.

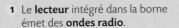

2 Plongée dans ce champ d'ondes, la **carte** réagit : son antenne génère de l'énergie électrique. La carte est alors télé-alimentée et la **puce** activée.

3 Grâce à son **antenne**, la puce transmet au lecteur ses données d'identification.

4 Le lecteur transmet à un **ordinateur central** cette identification.

> CES ÉCHANGES S'EFFECTUENT À LA VITESSE DE LA LUMIÈRE : C'EST INSTANTANÉ !

5 Si le client est reconnu, l'ordinateur central commande l'ouverture du **portillon**.

> POUR L'HOMME, C'EST ASSEZ DÉLICAT : L'ACCÈS À CERTAINES DONNÉES NE DOIT PAS SE FAIRE AU DÉTRIMENT DES LIBERTÉS INDIVIDUELLES !

Applications

Les utilisations de l'étiquette RFID sont nombreuses : suivi des colis ou des bagages, protection des transferts de fonds, contrôle de l'accès des véhicules ou des usagers, identification des personnes...

étiquette RFID

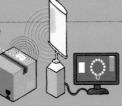

chronométrage
Grâce à l'étiquette fixée sur sa chaussure ou son dossard, chaque coureur est identifié au passage des lignes de départ et d'arrivée, et ainsi chronométré.

télésurveillance
Pendant son transport, un colis de marchandises précieuses peut être suivi en temps réel. L'étiquette émet en permanence un code qui permet de le localiser et de détecter tout déplacement anormal.

tatouage
Grâce à l'étiquette implantée sous la peau de son animal, un maître peut retrouver plus facilement son chat. Pour les humains, cette étiquette permettrait par exemple d'accéder au dossier médical en cas d'accident.

Y a-t-il une différence entre un télescope et une lunette astronomique, Pr Colza ?

Oui, Julia. Quand on observe le ciel avec une lunette, c'est comme si on le regardait avec deux loupes. Quand on l'observe avec un télescope, c'est comme si on le regardait avec un miroir creux.

① télescope

Comme la Terre tourne, le ciel change. Afin d'observer une planète, le télescope la suit automatiquement.

caméra
moteur
boîtier de commande
ordinateur   trépied

viseur

miroir secondaire

miroir primaire

oculaire

❶ La nuit, les **astres** éclairés par le Soleil sont des points lumineux.

❷ Sur le **miroir** du fond, le miroir primaire, l'image du ciel apparaît.

❸ Cette image de points lumineux se réfléchit sur le **miroir secondaire**.

❹ L'image est enfin visible par l'**oculaire**.

❺ La **caméra** transmet à l'ordinateur l'image de la planète observée.

❻ L'**ordinateur** analyse le déplacement de l'astre visé et commande le moteur de la monture afin de recentrer le télescope sur sa cible.

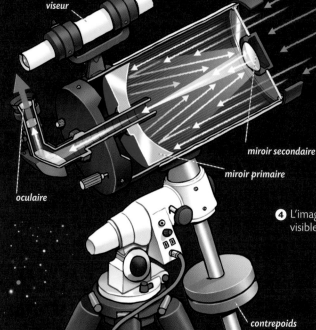

contrepoids

COMME LA LUNETTE, LE VISEUR A DES LENTILLES, LE TÉLESCOPE DES MIROIRS.

② télescope spatial

Stationné en orbite, il permet d'obtenir des images sans les défauts dus à l'atmosphère : obscurcissement et absorption de certaines lumières.

Les **images numériques** sont transmises à un satellite, puis à une antenne terrestre, enfin aux astronomes.

satellite relais

antenne de communication

miroir primaire

miroir secondaire

lumière

panneau photovoltaïque

Les **panneaux** fournissent l'énergie électrique nécessaire.

instruments de mesure

Le **télescope** capte la lumière, même faible, des astres...

antenne terrestre

93 Lentilles, prismes et miroirs

Les jumelles, les lunettes astronomiques, les appareils photo... sont des instruments optiques. Comme l'œil, ils contiennent des lentilles qui forment les images des objets réels, mais permettent de changer leur taille ou de les rendre nettes. Des prismes ou des miroirs sont parfois utiles pour modifier le chemin de la lumière.

Dans un milieu transparent et homogène (air, eau, verre...), la lumière se propage de façon rectiligne. Lorsqu'elle passe par exemple de l'air au verre, elle est déviée : c'est la réfraction.

Une **lentille convergente**, bombée, concentre les rayons lumineux.

Une **lentille divergente**, creuse, disperse les rayons lumineux.

Un **prisme** a généralement une base triangulaire. Lorsque la lumière rencontre l'une de ses faces, elle est déviée.

En passant dans le prisme à angle droit, le **faisceau lumineux** est totalement réfléchi.

Un **miroir** est un objet opaque réfléchissant qui renvoie la lumière qu'il reçoit.

prisme à angle droit

lentille convexe

lentille concave

prisme

direction de la lumière

Le faisceau subit une **réfraction** sur la première face du prisme. Après avoir traversé le prisme, il est à nouveau dévié.

verre protecteur

couche réfléchissante

couche opaque

miroir

Dans la **loupe**, les rayons lumineux que la coccinelle renvoie traversent la lentille convergente qui les dévie. L'œil les reçoit comme s'ils venaient directement d'une coccinelle plus grande.

La **lunette astronomique** est constituée de deux lentilles : un objectif et un oculaire. L'**objectif** forme une image renversée. Grâce à l'**oculaire**, l'image d'un objet lointain est agrandie.

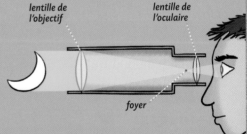

lentille de l'objectif

lentille de l'oculaire

foyer

Applications

On trouve des lentilles dans les lampes, les projecteurs ou les phares. On en trouve aussi, associées avec d'autres lentilles, des prismes et des miroirs, dans les lunettes astronomiques, les microscopes, les appareils photo, les vidéoprojecteurs, les jumelles...

jumelles
Une paire de jumelles est composée de deux tubes optiques équipés de **deux lentilles**. Les **prismes** permettent de réduire la longueur des tubes optiques.

appareil photo reflex
Les lentilles de l'objectif concentrent la lumière sur le capteur numérique. Les **prismes** et les **miroirs** renvoient la lumière sur l'oculaire.

phare de mer
Il est doté de **lentilles de Fresnel**, plus fines et donc moins lourdes, dont les stries dirigent la lumière en une ligne droite. Le faisceau est visible très loin.

chapitre 4

TRAN

LES SPORTS

Le vélo tout-terrain

Un vélo tout-terrain est-il si différent d'un vélo de course, Pr Siphon ?

Les guidons et les pneus sont différents, les cadres également, pour qu'ils soient confortables et performants sur le goudron ou sur la terre. Mais tous ces vélos ont un point commun : tant qu'ils roulent, ils ne tombent pas !

Le **dérailleur** permet de changer de vitesse en choisissant des roues dentées plus ou moins grandes.

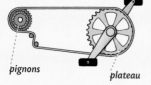
en première

pignons

plateau

en seconde

en troisième

câble

dérailleur

chaîne

❶ Le **câble** transmet la commande de changement de vitesse au dérailleur.

❷ Le **dérailleur** modifie sa position et déplace la chaîne sur la roue dentée correspondant à la vitesse choisie.

❸ Comme la **chaîne** est de longueur constante, le dérailleur tend la chaîne pour qu'elle reste au contact des dents des roues.

Le **changement de vitesse** correspond à la modification du nombre de tours de la roue arrière et donc de la distance parcourue à chaque tour de pédale. C'est avec le plus petit pignon que la vitesse est la plus grande !

Les facettes du **catadioptre** renvoient la lumière.

pignons

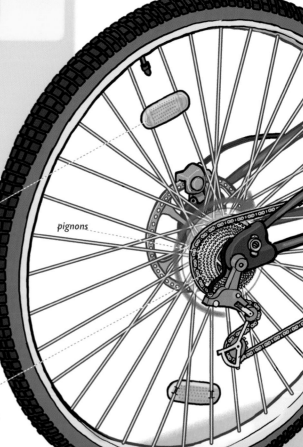

UN VÉLO ÉLECTRIQUE, C'EST COMME UN VÉLOMOTEUR ?

PAS DU TOUT ! Si le vélomoteur est équipé d'un moteur qui tourne constamment, le vélo électrique est un vélo à pédalage assisté : installé dans l'axe de la roue arrière et alimenté par une batterie, le moteur ne se met en marche que si le cycliste pédale !

Le système de la **roue libre** sur le moyeu permet de ne pas pédaler en descente.

Lorsque le plateau fait un tour, le **pignon** en fait plusieurs. La roue du vélo fait donc plusieurs tours à chaque tour de pédale.

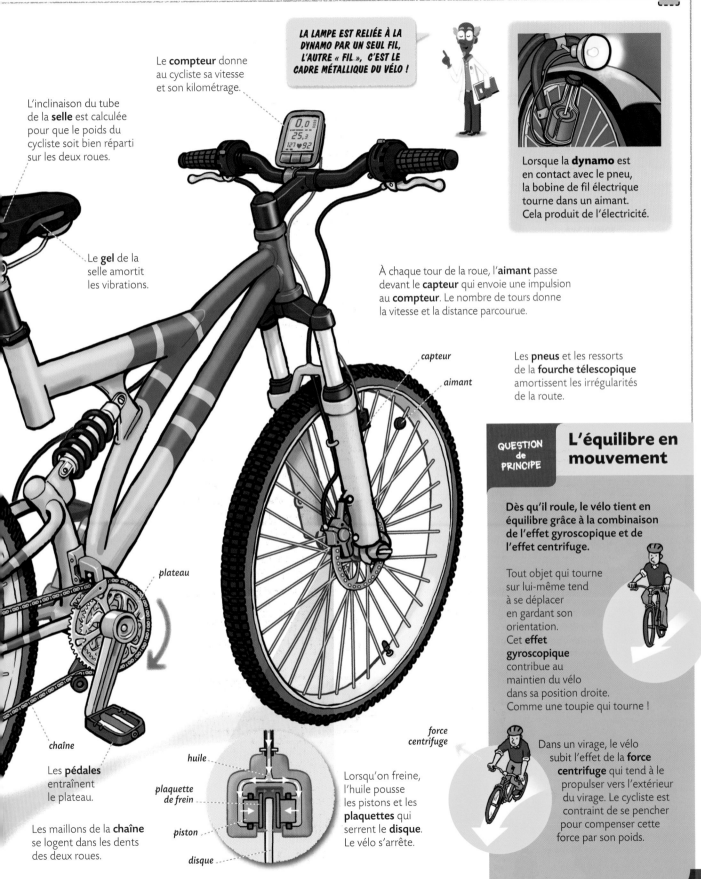

LA LAMPE EST RELIÉE À LA DYNAMO PAR UN SEUL FIL, L'AUTRE « FIL », C'EST LE CADRE MÉTALLIQUE DU VÉLO !

Lorsque la **dynamo** est en contact avec le pneu, la bobine de fil électrique tourne dans un aimant. Cela produit de l'électricité.

Le **compteur** donne au cycliste sa vitesse et son kilométrage.

L'inclinaison du tube de la **selle** est calculée pour que le poids du cycliste soit bien réparti sur les deux roues.

Le **gel** de la selle amortit les vibrations.

À chaque tour de la roue, l'**aimant** passe devant le **capteur** qui envoie une impulsion au **compteur**. Le nombre de tours donne la vitesse et la distance parcourue.

capteur

aimant

Les **pneus** et les ressorts de la **fourche télescopique** amortissent les irrégularités de la route.

QUESTION de PRINCIPE

L'équilibre en mouvement

Dès qu'il roule, le vélo tient en équilibre grâce à la combinaison de l'effet gyroscopique et de l'effet centrifuge.

Tout objet qui tourne sur lui-même tend à se déplacer en gardant son orientation. Cet **effet gyroscopique** contribue au maintien du vélo dans sa position droite. Comme une toupie qui tourne !

plateau

Les **pédales** entraînent le plateau.

chaîne

Les maillons de la **chaîne** se logent dans les dents des deux roues.

huile

plaquette de frein

piston

disque

Lorsqu'on freine, l'huile pousse les pistons et les **plaquettes** qui serrent le **disque**. Le vélo s'arrête.

force centrifuge

Dans un virage, le vélo subit l'effet de la **force centrifuge** qui tend à le propulser vers l'extérieur du virage. Le cycliste est contraint de se pencher pour compenser cette force par son poids.

Quand on regarde sous le capot de la voiture, on n'y comprend rien, Pr Colza !

La voiture est une machine complexe, Théo ! Il y a des fils électriques, des mécanismes qui transmettent les mouvements du moteur ou du volant, des tuyaux qui transportent l'essence ou les gaz d'échappement...

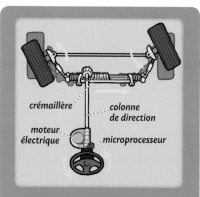

crémaillère — colonne de direction

moteur électrique — microprocesseur

Avec la direction assistée, lorsqu'on tourne le volant, un microprocesseur commande un petit moteur électrique. Les dents de la colonne de direction s'engrènent sur la crémaillère. La voiture tourne.

La boîte de vitesse fonctionne comme un dérailleur. Selon les engrenages associés, les roues tournent plus ou moins vite avec plus ou moins de puissance.

Pour changer de vitesse, on enfonce la pédale d'**embrayage** : le moteur continue de tourner mais n'entraîne plus les roues. Dès que la pédale est relevée, la transmission est assurée.

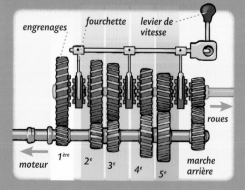

engrenages   fourchette   levier de vitesse

moteur   1ère   2e   3e   4e   5e   marche arrière   roues

❶ La **clé**, la carte magnétique ou le bouton de démarrage mettent en service le circuit électrique.

❷ La **batterie** alimente le démarreur et produit les étincelles des bougies.

❸ Le **démarreur**, un moteur électrique, entraîne les tout premiers mouvements du moteur.

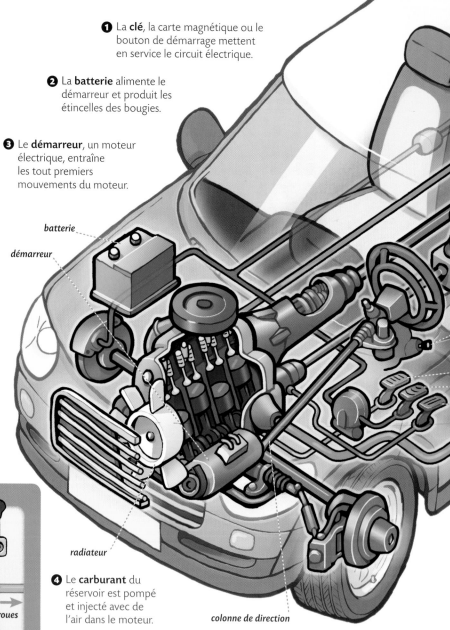

batterie

démarreur

radiateur

colonne de direction

❹ Le **carburant** du réservoir est pompé et injecté avec de l'air dans le moteur.

Le bloc moteur est refroidi par un circuit d'eau. La chaleur est dissipée grâce au **radiateur**.

❺ Le **moteur** fournit l'énergie mécanique pour propulser le véhicule.

GRÂCE AU POT CATALYTIQUE, QUI ACCÉLÈRE LES RÉACTIONS CHIMIQUES, LES GAZ D'ÉCHAPPEMENT SONT RENDUS MOINS TOXIQUES.

❻ Les gaz d'échappement sont traités dans le **pot d'échappement** puis évacués.

La **suspension** amortit les irrégularités de la route.

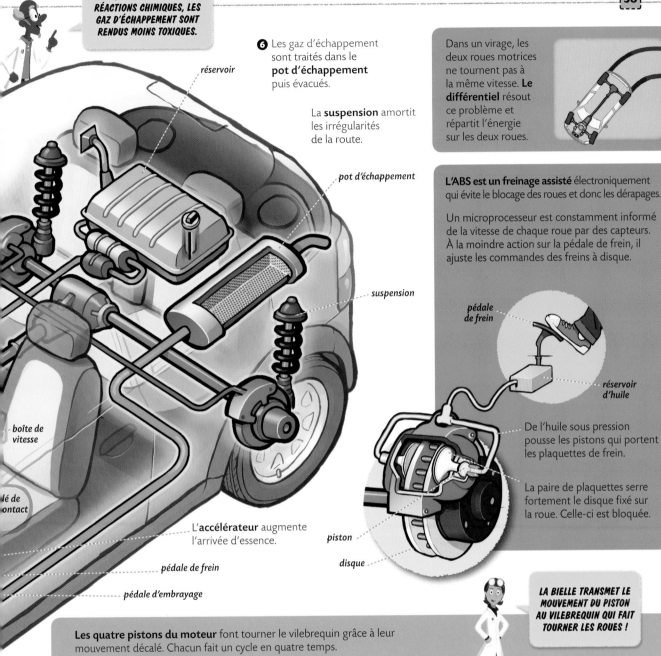

réservoir

pot d'échappement

suspension

boîte de vitesse

lé de ontact

L'**accélérateur** augmente l'arrivée d'essence.

pédale de frein

pédale d'embrayage

Dans un virage, les deux roues motrices ne tournent pas à la même vitesse. **Le différentiel** résout ce problème et répartit l'énergie sur les deux roues.

L'ABS est un freinage assisté électroniquement qui évite le blocage des roues et donc les dérapages.

Un microprocesseur est constamment informé de la vitesse de chaque roue par des capteurs. À la moindre action sur la pédale de frein, il ajuste les commandes des freins à disque.

pédale de frein

réservoir d'huile

De l'huile sous pression pousse les pistons qui portent les plaquettes de frein.

La paire de plaquettes serre fortement le disque fixé sur la roue. Celle-ci est bloquée.

piston

disque

LA BIELLE TRANSMET LE MOUVEMENT DU PISTON AU VILEBREQUIN QUI FAIT TOURNER LES ROUES !

Les quatre pistons du moteur font tourner le vilebrequin grâce à leur mouvement décalé. Chacun fait un cycle en quatre temps.

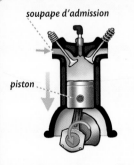

soupape d'admission

piston

❶ En descendant, le piston aspire le mélange air-carburant.

cylindre

❷ En remontant, il comprime le mélange dans le cylindre.

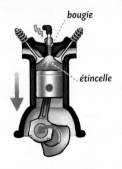

bougie

étincelle

❸ La bougie fait exploser le mélange. Le piston redescend.

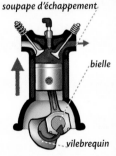

soupape d'échappement

bielle

vilebrequin

❹ En remontant, il pousse les gaz brûlés vers le circuit d'échappement.

Qu'est-ce qui déclenche les airbags, Pr Siphon ?

Ce sont des capteurs, Théo ! Les voitures sont de plus en plus intelligentes. De nombreux capteurs et calculateurs surveillent la conduite et réagissent instantanément pour protéger les passagers.

❶ airbag

Lors d'un choc, la ceinture de sécurité se tend et les airbags frontaux ou latéraux se gonflent.

❶ Le **capteur électronique** détecte une décélération très violente.

capteur

❷ Le **premier prétensionneur** est mis à feu. La ceinture se tend sur les hanches.

❸ Le **second prétensionneur** ajuste la ceinture en haut du thorax.

❹ Les **airbags** sont mis à feu.

prétensionneurs

La mise à feu déclenche une **réaction chimique** qui produit instantanément du gaz. Le gaz libéré gonfle le « coussin ».

Le gaz produit par une réaction chimique pousse le **piston**, qui tend la boucle de la ceinture.

piston
gaz
prétensionneur

AUTRES DISPOSITIFS DE SÉCURITÉ...

❶ pneu anti-crevaison

◀ L'intérieur du pneu est recouvert d'une substance particulière. En cas de crevaison, elle enrobe le clou et assure l'étanchéité. C'est un pneu auto-colmatant.

❷ pare-brise feuilleté

◀ Composé de deux feuilles de verre séparées par un film en matière plastique élastique, ce pare-brise ne se brise pas en mille morceaux.

❸ éthylotest anti-démarrage

◀ Cet appareil analysera bientôt les substances de l'haleine. La voiture ne peut être mise en route que si rien d'anormal n'est détecté et si la ceinture est bouclée.

❷ détecteur d'obstacles

Grâce au module électronique qui surveille ce qui se passe devant ou derrière le véhicule, les chocs sont évités.

faisceaux laser
module de détection

❶ La voiture capte les **faisceaux laser** renvoyés par la voiture qui précède.

❷ Le **module de détection** calcule la distance de l'obstacle. Il détermine le risque de collision en fonction de la vitesse.

❸ Si le conducteur ne réagit pas, le **freinage** est déclenché automatiquement.

GRÂCE À DES CAMÉRAS, LE CONDUCTEUR VOIT AUSSI L'ESPACE À L'ARRIÈRE DE SA VOITURE.

Pourquoi un véhicule hybride a-t-il deux moteurs, Pr Colza ?

Pour économiser le carburant et limiter les gaz d'échappement ! L'idée est simple : faire avancer la voiture grâce au moteur électrique lorsque le moteur à essence n'est pas utile !

Un ordinateur commande l'un ou l'autre moteur, ou les deux, selon les besoins de la conduite.

La **batterie** se recharge lorsque le moteur thermique fonctionne ou lors des ralentissements et des freinages. On peut la recharger aussi sur le secteur.

Lorsque le moteur thermique tourne, l'**alternateur** produit de l'électricité qui, selon le cas, recharge la batterie ou fournit l'énergie au moteur électrique.

L'**ordinateur** répartit la puissance des moteurs du véhicule selon les besoins.

batterie

câble d'alimentation

raccordement au secteur

moteur électrique

ordinateur de contrôle

Le **moteur électrique** fonctionne grâce à une batterie qui stocke quatre fois plus d'énergie que les batteries classiques.

À faible vitesse, le rendement du **moteur thermique**, à essence ou à gazole, est faible : il dépense trop de carburant. Il est alors coupé automatiquement.

alternateur

moteur thermique

AUTREFOIS

En 1899, cette voiture au profil d'une fusée, baptisée la « Jamais contente » et propulsée grâce à l'énergie d'une batterie, atteint la vitesse record de 105 km/h.

ET DEMAIN ?

Puisqu'un moteur électrique est constitué de bobinages qui tournent les uns par rapport aux autres, il peut être logé dans chaque roue. Quatre moteurs-roues propulseront le véhicule.

❶ Au **démarrage**, le moteur électrique est suffisant pour propulser seul la voiture.

❷ Au-delà de **30 km/h**, le moteur à essence démarre afin d'apporter sa puissance.

❸ Pour gravir une **côte** ou effectuer un **dépassement**, les deux moteurs se complètent.

❹ Lors des **freinages** ou des **ralentissements**, l'énergie cinétique est convertie en énergie électrique : les batteries se rechargent.

Le GPS ou guidage par satellite

Comment ce système de guidage connaît-il à tout instant notre localisation ?

La console GPS est une machine à calculer : elle mesure constamment la distance qui sépare la voiture de quatre satellites. Elle est localisée avec précision grâce au calcul de ces mesures !

Pour chaque système

de localisation, une trentaine de satellites peuvent être interrogés selon l'endroit où la console se trouve.

IL Y A TROIS GRANDS SYSTÈMES : L'AMÉRICAIN GPS, L'EUROPÉEN GALILÉO ET LE RUSSE GLONASS.

ondes radio

satellite

❶ La **console GPS** est mise en service. Elle est à l'écoute des ondes émises par les satellites.

❷ Chaque **satellite** transmet mille fois par seconde sa position exacte par rapport à la Terre ainsi que l'heure précise d'émission du message.

❸ La **console** calcule le temps mis par ces **ondes radio** pour lui parvenir. Cette durée traduit la distance qui sépare la voiture des satellites.

❹ La distance du premier satellite détermine un **cercle** sur la Terre. L'intersection des cercles de trois satellites indique une **localisation précise**.

❺ La distance du quatrième satellite permet de **valider** la localisation.

❻ En quelques secondes, la voiture est ainsi **localisée**.

❼ La console associe le point déterminé aux **cartes géographiques** qu'il a en mémoire.

DANS 10 MÈTRES, TOURNEZ À DROITE !

Le GPS peut être couplé avec un synthétiseur vocal.

❽ La carte s'affiche à l'**écran**.

20 m
D21 ▶ D46 - 1 min

écran tactile

socle et ventouse

❾ Grâce à des **logiciels spécialisés**, la console propose un itinéraire qui tient compte des informations reçues sur le trafic routier.

❿ Le **cycle** reprend. Le GPS suit le déplacement de la voiture.

LE GPS DES NAVIGATEURS, SUR LES OCÉANS, EST IDENTIQUE ?

BIEN SÛR ! La localisation terrestre, aérienne ou maritime fonctionne de la même façon. Les randonneurs peuvent aussi s'en servir !

Que se passe-t-il lorsqu'un radar flashe une voiture, Pr Colza ?

Le radar mesure la vitesse de tous les véhicules. En cas d'excès de vitesse, la photo est prise instantanément, puis elle est traitée à distance et adressée automatiquement au chauffeur.

Un radar est un cinémomètre : il mesure la vitesse des véhicules grâce aux ondes renvoyées par leur carrosserie.

Comme la voiture se déplace, la **fréquence** de l'**onde renvoyée** est différente de celle de l'onde émise.

Une **alarme** donne l'alerte en cas de détérioration du radar.

flash

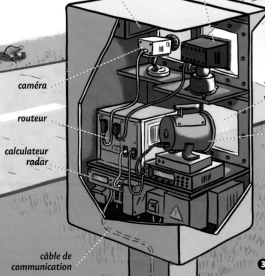

caméra

routeur

calculateur radar

vitre blindée

câble de communication

Un **ordinateur** contrôle le fonctionnement du radar.

❶ Le **radar** émet sans arrêt des **ondes** vers les voitures qui lui renvoient des échos.

❷ Pour mesurer la vitesse, le **calculateur** compare la variation de fréquence entre les ondes émises et reçues : c'est l'**effet Doppler**.

❸ Si la vitesse est excessive, la caméra numérique prend la photo. Le **flash** se déclenche.

❹ Le **routeur** transmet instantanément l'image au centre de contrôle, à plusieurs centaines de kilomètres.

LE ➕ DU P^R SIPHON

Quels que soient la forme et le matériau de leur carrosserie, les voitures renvoient les ondes des radars. Contrairement aux avions furtifs qui sont indétectables !

AUTREMENT

Les jumelles télémétriques, aussi, mesurent la vitesse des véhicules. Elles envoient une impulsion laser sur la voiture. Un chronomètre enregistre le temps que met l'impulsion à faire l'aller-retour. Un calculateur en déduit la distance, puis la vitesse.

❶ Au **centre de traitement**, les images sont reçues sous forme de fichiers. Les photos portent la date, l'heure et la vitesse.

❷ Un **logiciel d'analyse d'image** distingue les zones blanches et noires des chiffres et des lettres de la plaque minéralogique.

❸ La consultation du **fichier central** permet d'associer au numéro d'immatriculation, les coordonnées du propriétaire.

❹ La **contravention** est aussitôt imprimée et adressée au conducteur qui se voit automatiquement retirer des points sur son permis.

Les feux changent régulièrement de couleur. C'est ainsi que ça marche, le trafic ?

Pas en ville ! Le trafic est trop important ! Les centaines de feux sont en fait reliés à un ordinateur qui orchestre le déplacement des milliers de véhicules en déterminant les priorités de passage.

L'**ordinateur central** reçoit en temps réel les informations sur le trafic grâce aux différents capteurs répartis sur tout le réseau. Il commande l'allumage des feux et gère les files d'attente.

Grâce aux **satellites**, chaque bus est localisé. On connaît la distance qui le sépare du suivant et du précédent.

Cette information est communiquée au chauffeur et au centre de gestion du transport collectif, puis affichée dans les **abribus**.

Les **boucles magnétiques** détectent les objets métalliques. Elles permettent de compter les voitures et de déclencher le passage au vert.

ANECDOTE

La régulation du trafic routier améliore la sécurité des usagers. Elle permet de diminuer également les arrêts des voitures et donc de limiter les gaz d'échappement.

afficheur électronique

caméra vidéo

Les images des **caméras vidéo** sont analysées informatiquement. Elles permettent d'estimer le nombre de véhicules.

Reliés à l'ordinateur central, les **afficheurs électroniques** signalent les bouchons ainsi que le temps probable pour arriver à certains points de repère.

Les camions de pompiers ou les ambulances sont détectés par des **balises** spéciales. L'ordinateur gère ces véhicules en priorité.

LE ✚ DU Pʳ COLZA

Lorsque, sur une voie, le passage successif des feux au vert s'effectue à la vitesse de la voiture, on dit que c'est une « onde verte ».

Lorsqu'un piéton presse le **bouton**, le contact électrique qu'il établit devient une information qui est transmise à l'ordinateur central.

balise

bouton

La station-service

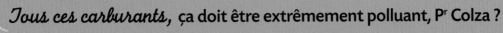

Tous ces carburants, ça doit être extrêmement polluant, Pr Colza ?

Tu as raison, Julia ! Désormais, pour préserver l'environnement, l'eau de ruissellement est traitée, et surtout on récupère toutes les vapeurs lors des remplissages des cuves et des réservoirs à essence.

La station est équipée de plusieurs dispositifs de récupération des vapeurs de l'essence qui se volatilise lors des transferts.

La **pompe à essence** est reliée au pupitre du pompiste ou à une console de paiement automatique.

Les **eaux de ruissellement** sur la piste sont traitées avant leur rejet dans les égouts tandis que les restes d'essence sont récupérés.

❶ Le camion citerne décharge le carburant dans les **cuves** de la station.

❷ Au fur et à mesure que l'on remplit les cuves de carburant, les vapeurs sont chassées dans les **colonnes** de la « clarinette ».

clarinette

Les **cuves** enterrées ont une double enveloppe. Des capteurs électroniques détectent toute fuite éventuelle.

❸ Les **vapeurs se condensent**, puis sont récupérées par le camion-citerne. Elles sont ensuite recyclées.

Le **tuyau double** du pistolet permet de remplir le réservoir et d'aspirer les vapeurs.

pistolet

réservoir

Dès que le pistolet est ôté de son support, le **compteur** se remet à zéro.

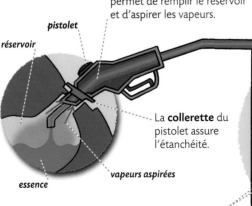

La **collerette** du pistolet assure l'étanchéité.

vapeurs aspirées

essence

La poignée du pistolet commande les deux **pompes** qui aspirent l'**essence** et les **vapeurs**.

essence aspirée

Les **vapeurs** sont envoyées dans une cuve de la station.

Tous les nouveaux moyens de transport sont-ils électriques, Pʳ Colza ?

De plus en plus, Théo ! Grâce à leurs batteries plus performantes, ils limitent la pollution en ville tout en nous permettant une plus grande mobilité ! Parfois, les fils sont bien cachés !

❶ L'auto partagée

Des voitures électriques sont mises à la disposition des usagers abonnés.

Chaque borne et chaque voiture sont équipées d'un bouton d'assistance pour contacter le **centre de supervision.**

Le **lecteur de badge RFID** vérifie l'abonnement de l'usager et permet de calculer la durée d'utilisation de la voiture.

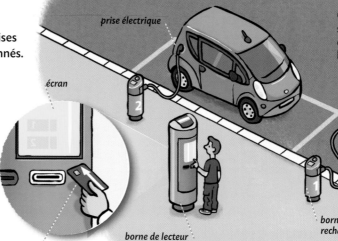

prise électrique

écran

carte d'abonné

borne de lecteur de badge

borne de recharge

La voiture fonctionne grâce à une **batterie.**

Sur l'**écran tactile,** l'indicateur de charge informe de la distance possible à parcourir.

connexion internet très haut débit

DANS UNE VOITURE ÉLECTRIQUE, PAS DE BOÎTE DE VITESSES ! L'ACCÉLÉRATEUR COMMANDE UN VARIATEUR ÉLECTRONIQUE DE PUISSANCE.

ordinateur de gestion

moteur électrique

batterie lithium-ion

Lors d'un **freinage,** le moteur produit du courant qui recharge la batterie.

Grâce au GPS, le **centre de supervision** est informé en temps réel de la localisation de chaque voiture et peut indiquer les places disponibles en station.

❶ L'utilisateur prend le véhicule à la borne avec sa **carte d'abonnement.** Un lecteur de carte placé derrière la vitre avant ouvre la porte.

❷ La **carte SIM** reconnaît l'usager et charge ses réglages personnalisés (stations de radio, itinéraires préférés...) sur l'**écran tactile.**

❸ Le **GPS** guide le conducteur et permet de localiser la voiture. En cas de sortie de la zone d'utilisation, le conducteur est alerté.

❹ Au retour à la **borne,** le compteur du temps de l'abonné s'arrête, et la batterie de la voiture est mise en charge.

LES TRANSPORTS

❷ Le tramway urbain

Le tramway électrique est alimenté par le sol grâce à un troisième rail. Une solution plus discrète que les lignes aériennes !

CERTAINS TRAMWAYS SONT ALIMENTÉS SANS CONTACT GRÂCE À DES BOBINES D'INDUCTION, COMME QUAND ON RECHARGE UNE BROSSE À DENTS ÉLECTRIQUE !

moteurs de traction

ordinateur de gestion de l'énergie

batterie de stockage de l'énergie

rails de déplacement ou voie ferrée

troisième rail d'alimentation

rail d'alimentation sous tension

rail d'alimentation hors tension

coffret d'alimentation

La **batterie** du tramway se recharge à l'arrêt en station ou lorsqu'il passe sur un tronçon du troisième rail. Celui-ci n'est sous tension que lorsqu'il est entièrement recouvert par le tramway.

Grâce à l'**alimentation par tronçons**, les piétons peuvent traverser les voies en toute sécurité.

❸ Le métro automatique

Le conducteur est remplacé par un pilote automatique embarqué.

Le **poste de commande** surveille les quais et peut informer les voyageurs.

Le métro a un **programme** en mémoire qui guide son déplacement sur la ligne : arrêts aux stations, ralentissement dans les virages...

interphone

caméra

portes automatiques

pilote automatique embarqué

rail de guidage et d'alimentation électrique

tapis de transmission

capteur

Des **capteurs** tout le long des voies informent le pilote automatique de sa position.

portes palières

Le **pilote automatique** ouvre les portes palières en même temps que celles des wagons.

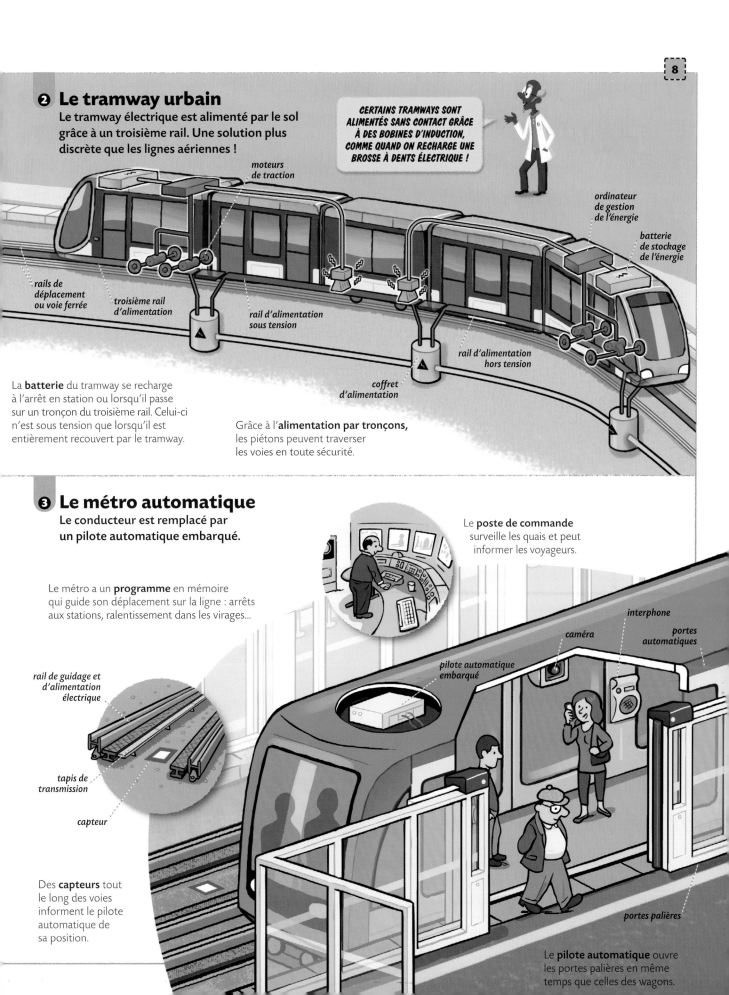

Comment les trains d'aujourd'hui peuvent-ils aller aussi vite, Pr Colza ?

Grâce à la puissance des moteurs électriques ! Mais pour transporter les passagers à plus de 350 km/h en toute sécurité, la forme aérodynamique du train ainsi que le tracé des voies jouent aussi un rôle important.

L'automotrice à grande vitesse (AGV)

d'Alstom est une nouvelle génération de trains caractérisée notamment par la répartition des moteurs sur toute la rame.

Le **pantographe** capte le courant électrique de la caténaire, le fil aérien.

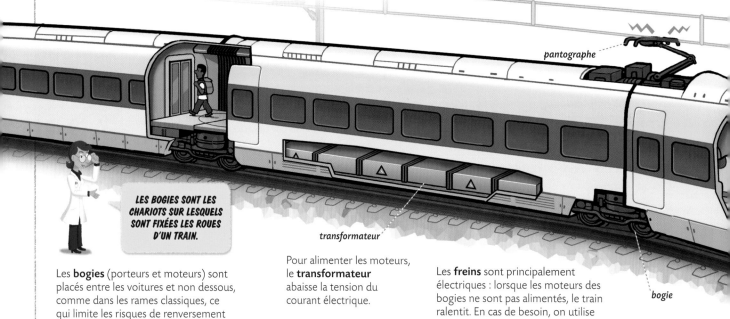

pantographe

LES BOGIES SONT LES CHARIOTS SUR LESQUELS SONT FIXÉES LES ROUES D'UN TRAIN.

transformateur

bogie

Les **bogies** (porteurs et moteurs) sont placés entre les voitures et non dessous, comme dans les rames classiques, ce qui limite les risques de renversement du train, en cas de déraillement.

Pour alimenter les moteurs, le **transformateur** abaisse la tension du courant électrique.

Les **freins** sont principalement électriques : lorsque les moteurs des bogies ne sont pas alimentés, le train ralentit. En cas de besoin, on utilise aussi les freins des bogies porteurs.

AUTRES TRAINS

automotrice diesel

Lorsque le réseau ferroviaire n'est pas électrifié, la locomotive produit elle-même l'électricité. Le moteur diesel, alimenté en gazole, fait tourner un **alternateur**. L'électricité qu'il produit fait tourner les moteurs électriques qui entraînent les roues.

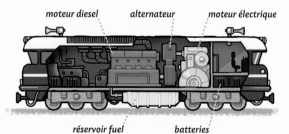

moteur diesel   alternateur   moteur électrique

réservoir fuel   batteries

train à lévitation magnétique

Ce train sans roues est très rapide car il n'est pas freiné par les frottements sur les rails. Il avance grâce à l'attraction et à la répulsion des **électroaimants** intégrés à la voie et au train.

Les électroaimants de la voie passent alternativement du nord au sud. Ils attirent et repoussent les aimants du train, ce qui entraîne son déplacement.

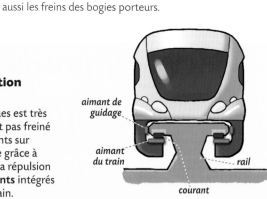

aimant de guidage

aimant du train

rail

courant

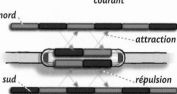

nord

attraction

sud

répulsion

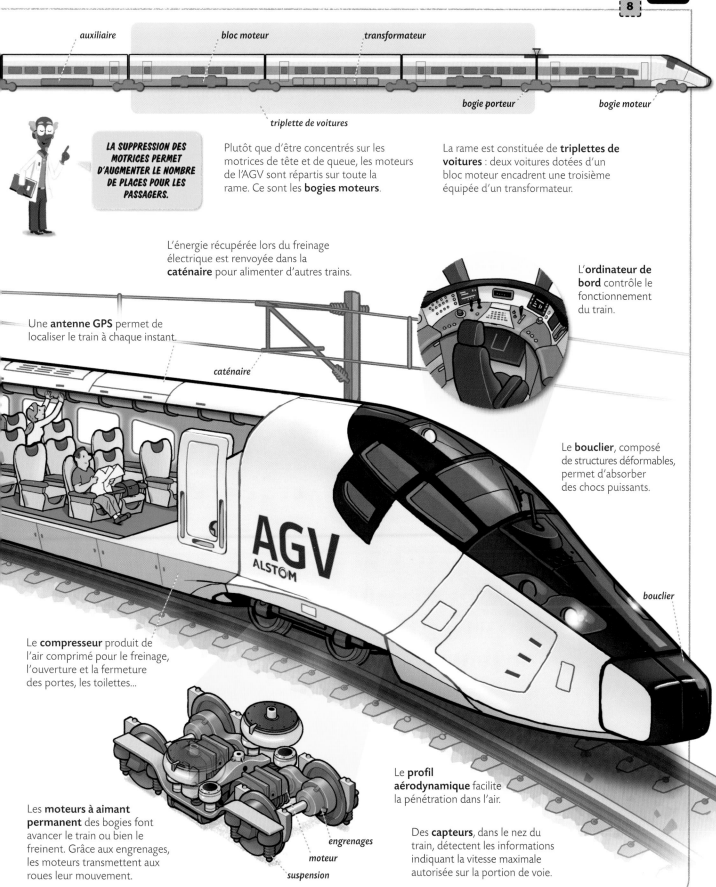

auxiliaire

bloc moteur

transformateur

bogie porteur

bogie moteur

triplette de voitures

LA SUPPRESSION DES MOTRICES PERMET D'AUGMENTER LE NOMBRE DE PLACES POUR LES PASSAGERS.

Plutôt que d'être concentrés sur les motrices de tête et de queue, les moteurs de l'AGV sont répartis sur toute la rame. Ce sont les **bogies moteurs**.

La rame est constituée de **triplettes de voitures** : deux voitures dotées d'un bloc moteur encadrent une troisième équipée d'un transformateur.

L'énergie récupérée lors du freinage électrique est renvoyée dans la **caténaire** pour alimenter d'autres trains.

L'**ordinateur de bord** contrôle le fonctionnement du train.

Une **antenne GPS** permet de localiser le train à chaque instant.

caténaire

Le **bouclier**, composé de structures déformables, permet d'absorber des chocs puissants.

AGV
ALSTOM

bouclier

Le **compresseur** produit de l'air comprimé pour le freinage, l'ouverture et la fermeture des portes, les toilettes...

Les **moteurs à aimant permanent** des bogies font avancer le train ou bien le freinent. Grâce aux engrenages, les moteurs transmettent aux roues leur mouvement.

engrenages

moteur

suspension

Le **profil aérodynamique** facilite la pénétration dans l'air.

Des **capteurs**, dans le nez du train, détectent les informations indiquant la vitesse maximale autorisée sur la portion de voie.

Comment peut-on faire rouler plusieurs trains sur la même voie, Pr Colza !

Ce sont des problèmes complexes, Julia ! Il faut veiller à orchestrer le trafic, à espacer les trains et à informer les conducteurs grâce aux feux et aux aiguillages.

Les feux de signalisation

interdisent aux trains de circuler sur la même portion de voie.

❶ Les deux feux rouges sont allumés : le train vert doit s'arrêter pour laisser passer le train gris.

❷ Les deux feux jaunes sont allumés : le train orange doit ralentir pour passer l'aiguillage.

Les **crocodiles**, disposés entre les rails, envoient un son de rappel au conducteur avant les signalisations.

brosse en fils de cuivre

crocodile

❸ Le feu est vert : le train bleu peut avancer.

Un **canton** est une portion de ligne ferroviaire, délimitée par des signaux lumineux, sur laquelle ne peut circuler qu'un seul train.

❺ Le feu jaune indique que le prochain canton est occupé par le train bleu.

aiguille

❹ Le feu rouge signale que le canton est occupé par le train gris.

Les **aiguillages** orientent les rames sur une voie ou sur une autre. Les deux lames amovibles, **les aiguilles**, sont actionnées électriquement à distance.

POURQUOI N'Y A-T-IL PAS DE PANNEAUX SUR LES LIGNES DE TGV ?

LES TGV ROULENT SI VITE qu'on ne peut pas lire les panneaux ! Les informations sont transmises au conducteur grâce à des capteurs placés sur les voies.

LE ➕ DU Pr SIPHON

Des ordinateurs assistent les aiguilleurs pour déclencher les feux et les aiguillages selon les priorités des trains et l'importance du trafic.

🔁 AUTREMENT

Les tramways sont équipés de capteurs qui signalent leur passage le long des voies. Les informations sont intégrées à la gestion des feux du trafic routier.

LE ➕ DU Pr COLZA

Sur les voies, des panneaux indiquent les vitesses à respecter, les arrêts des trains en gare, les actions à effectuer, comme lever ou abaisser les pantographes.

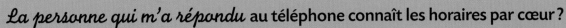

La personne qui m'a répondu au téléphone connaît les horaires par cœur ?

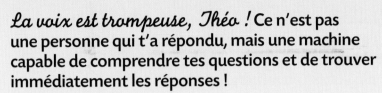

La voix est trompeuse, Théo ! Ce n'est pas une personne qui t'a répondu, mais une machine capable de comprendre tes questions et de trouver immédiatement les réponses !

❶ Le voyageur pose sa **question** : « Quel est le prochain train de Paris à Londres ? »

❷ La question est transformée en **signal numérique**.

❸ L'**ordinateur** découpe le signal cent fois par seconde. Chaque morceau est une image numérique.

❹ Il associe les morceaux pour **reconstituer** des mots possibles.

❺ L'ordinateur compare les images numériques des mots reconstitués avec ceux de son **dictionnaire**.

AUTREMENT

Pour annoncer l'entrée du train en gare, on a aussi recours à un logiciel de synthèse vocale qui assemble les différents mots d'un enregistrement préalable.

❻ S'il n'est pas sûr de lui, l'ordinateur demande s'il s'agit bien de Londres grâce à des **questions toutes prêtes**…

❼ À partir des mots essentiels « de », « Paris », « à », « Londres » et « prochain », il interroge la **base de données** des horaires.

SI L'ORDINATEUR ENTEND MERCI OU AU REVOIR, IL SALUE ÉGALEMENT, PUIS INTERROMPT L'APPEL.

❽ Le **logiciel** assemble alors les morceaux de réponses disponibles. Il y insère les informations horaires.

LE ✚ DU Pʳ COLZA

Les logiciels d'apprentissage de langues affichent à l'écran l'image de la phrase correcte et celle de la phrase prononcée par l'élève. La comparaison permet de progresser.

❾ Un **synthétiseur vocal** transforme cette phrase numérique en paroles. « Le prochain train de Paris à Londres est à 16 h 14. »

Les bateaux à moteur

Ces bateaux ont tous un moteur. Ils avancent de la même façon, Pr Colza ?

Non, Théo. Leurs modes de propulsion sont très différents !
Selon les bateaux, le moteur met en mouvement une hélice,
projette de l'eau ou crée un coussin d'air... Des solutions
adaptées aux loisirs ou aux transports !

❶ jet-ski

Il est propulsé par l'eau
pompée puis expulsée à très
grande vitesse à l'arrière.

Le **guidon** modifie la
position de la tuyère.

guidon

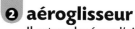

❷ L'eau, comprimée dans
la **tuyère**, est expulsée.

❸ Le **jet d'eau**, orienté
à gauche, pousse le jet-ski
vers la droite, et inversement.

tuyère

Un **moteur** fait
tourner une
puissante turbine.

❶ Grâce à l'**écope**, une ouverture
dans la coque, l'eau est
aspirée vers la turbine.

Les **gouvernails**,
deux volets parallèles,
permettent d'avancer
et de tourner.

gouvernail

hélice

Le souffle de l'**hélice**
propulse l'aéroglisseur : il
glisse sur l'eau... ou sur la terre.

Grâce au coussin d'air sous la
jupe, le bateau n'est pas freiné
par la résistance de l'eau.

jupe

❷ aéroglisseur

Il est soulevé par l'air
emprisonné sous sa jupe
et propulsé par des hélices.

*C'EST LE SEUL BATEAU
SANS COQUE : UNE
SORTE DE RADEAU
SUR L'EAU.*

air

---

❸ hydroptère

Ce navire décolle !
Maintenu hors de l'eau,
il n'est freiné ni par les
vagues ni par l'eau.

Les ailes immergées,
ou **foils**, ont un profil
d'aile d'avion.

foil

En raison du **profil des ailes**,
l'eau se déplace plus vite au-
dessus qu'en dessous. Cela
crée une aspiration vers le
haut : la coque se soulève.

Des **hydrojets**
propulsent ce navire.

❹ paquebot

Dans la salle des machines, les moteurs à gazole ou à fuel lourd actionnent l'hélice.

Les **gaz de combustion** sont évacués par les cheminées.

Les **pods orientables** remplacent le gouvernail. Ils facilitent les manœuvres.

La **coque en acier** est profilée pour limiter la résistance de l'eau.

Malgré son poids de plusieurs centaines de tonnes, le paquebot flotte grâce à la **poussée d'Archimède**.

Les **hélices** propulsent le paquebot. Elles sont montées sur des pods orientables.

❺ hors-bord

Le moteur à explosion, situé à l'arrière, actionne une ou plusieurs hélices qui propulsent le bateau.

Les **roues dentées** coniques font tourner l'hélice.

L'**arbre** est mis en mouvement par le moteur.

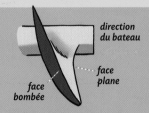

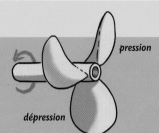

L'orientation du **moteur hors-bord**, et donc de l'hélice, permet de diriger le bateau.

Les moteurs très puissants ont deux hélices qui tournent en **sens inverse** afin d'éviter au bateau de pencher d'un côté.

QUESTION de PRINCIPE

L'hélice

L'hélice est une vis dont le profil est celui d'une aile d'avion. En tournant, elle crée une aspiration devant elle et une poussée derrière elle. Grâce à cette vis, les bateaux avancent dans l'eau comme les avions à hélice avancent dans l'air.

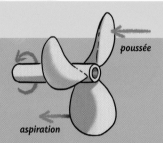

direction du bateau

face plane

face bombée

Chaque pale de l'hélice est inclinée et formée d'une **face plane** et d'une autre **bombée**.

pression

dépression

Lorsque l'hélice tourne, l'eau est **comprimée** et **ralentie** sur la surface plane. C'est l'inverse sur la face bombée.

poussée

aspiration

Cette différence de pression et de vitesse entraîne une **poussée** d'un côté et une **aspiration** de l'autre.

Le sous-marin nucléaire

Un sous-marin qui fait le tour du monde emporte-t-il toutes ses réserves ?

Juste le ravitaillement ! Le sous-marin produit son oxygène, son eau et son électricité. Il avance en effet grâce à un moteur électrique car sous l'eau, c'est-à-dire sans air, un moteur à explosion ne pourrait pas fonctionner !

❶ réacteur nucléaire

Dans le réacteur, les atomes d'uranium, bombardés par des neutrons, sont cassés en deux. Cette fission nucléaire dégage une grande quantité de chaleur qu'on utilise pour produire de l'électricité.

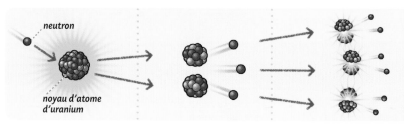

neutron

noyau d'atome d'uranium

Un **neutron** frappe un atome d'uranium.

La **fission nucléaire** a lieu : le noyau de l'atome est cassé en deux, des neutrons sont libérés.

Les **neutrons** libres frappent de nouveaux atomes et les cassent aussi. Cette réaction en chaîne dégage énormément de chaleur.

UN ALTERNATEUR, C'EST COMME UNE DYNAMO DE VÉLO. EN LE FAISANT TOURNER, ON PRODUIT DE L'ÉLECTRICITÉ !

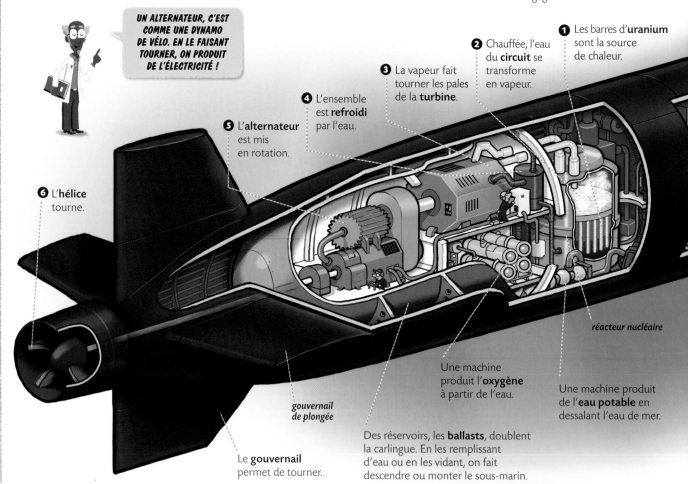

❶ Les barres d'**uranium** sont la source de chaleur.

❷ Chauffée, l'eau du **circuit** se transforme en vapeur.

❸ La vapeur fait tourner les pales de la **turbine**.

❹ L'ensemble est **refroidi** par l'eau.

❺ L'alternateur est mis en rotation.

❻ L'hélice tourne.

réacteur nucléaire

gouvernail de plongée

Le **gouvernail** permet de tourner.

Des réservoirs, les **ballasts**, doublent la carlingue. En les remplissant d'eau ou en les vidant, on fait descendre ou monter le sous-marin.

Une machine produit l'**oxygène** à partir de l'eau.

Une machine produit de l'**eau potable** en dessalant l'eau de mer.

❷ périscope

En déviant la lumière, il permet de voir à la surface de l'eau.

prisme

Les **gouvernails de plongée** inclinent le sous-marin vers le haut ou vers le bas.

Les **snorkels** sont des arrivées d'air.

périscope

Les **lentilles** permettent de grossir, de réduire ou de rendre les images nettes.

Les deux **prismes** changent la direction des images.

Le **kiosque** porte des éléments de communication.

Le **sonar** surveille en écoutant les sons sous la mer.

La **carlingue** est en acier très résistant : elle ne doit pas être déformée par la pression de l'eau qui augmente avec la profondeur.

Les **batteries** stockent l'électricité.

❸ sonar

Sans hublots, le sous-marin est aveugle au fond de l'eau. Pour se repérer, il utilise un sonar.

Le sous-marin émet des **sons** dans l'eau qui sont réfléchis par les obstacles.

Ces **échos** sont plus ou moins forts selon la distance de l'obstacle.

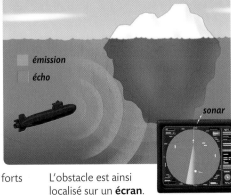

émission
écho

sonar

L'obstacle est ainsi localisé sur un **écran**.

QUESTION de PRINCIPE

La poussée d'Archimède

« **Tout corps plongé dans un fluide subit une force verticale, dirigée de bas en haut et égale au poids du volume de fluide déplacé.** » C'est ce qu'on appelle la « poussée d'Archimède ».

Une péniche en béton chargée de plusieurs centaines de tonnes de charbon s'enfonce dans l'eau mais ne coule pas. Son poids est compensé par la poussée exercée par l'eau. **La poussée d'Archimède s'applique aussi à l'air.** Ainsi, une montgolfière monte et descend selon la différence entre son poids et la poussée exercée par l'air.

SI LE POIDS DU SOUS-MARIN ÉTAIT SUPÉRIEUR À LA POUSSÉE D'ARCHIMÈDE, IL COULERAIT !

Application : les ballasts

poussée d'Archimède

ballast

poids

Les ballasts sont remplis d'air. Le poids et la poussée s'équilibrent : **le sous-marin flotte**.

On remplit les ballasts d'eau de mer : l'air est expulsé. Le poids du sous-marin devient supérieur à la poussée : **il s'enfonce**.

air comprimé

On chasse l'eau des ballasts avec de l'air comprimé. Le poids du sous-marin devient inférieur à la poussée : **il remonte**.

Le passeport biométrique

Que se passe-t-il lorsque je présente mon passeport au poste de contrôle ?

Tes données biométriques (photo, empreintes),
mémorisées sur une puce, sont lues à distance et
s'affichent automatiquement sur l'écran du policier.
Ainsi, il peut vérifier que tu es bien Théo !

Ce fil métallique est une **antenne**
reliée à la puce. Lorsqu'elle capte
les ondes émises par le lecteur
du policier, elle transmet aussitôt
les données en mémoire.

Les **pages vierges** sont
tamponnées par les
policiers des frontières.

Les informations d'identité
(nom, prénom, nationalité...)
sont mémorisées dans la
puce, ainsi que les données
biométriques : la photo et
les empreintes digitales.

La **couverture**
en carton
rigide porte
la mention
du pays.

**COMMENT LE
POLICIER FAIT-IL
POUR VÉRIFIER
LES EMPREINTES ?**

**GRÂCE À UN LECTEUR
D'EMPREINTES DIGITALES !**
Le passager pose son
doigt sur un mini
scanner. Aussitôt,
le lecteur numérise
l'empreinte du doigt.
Grâce à un logiciel, cette
image est comparée avec
l'image en mémoire afin
de détecter la moindre
différence entre les
deux empreintes.

**LES EMPREINTES
DIGITALES NE SONT
PAS IMPRIMÉES SUR
LE PASSEPORT.**

La **photo** est réglementée :
elle doit présenter un
visage de face, avec une
expression neutre.

Ces deux lignes peuvent être
lues par un **lecteur optique**
comme un code-barres.

La **partie électronique**,
extra plate, est protégée
par deux feuilles de
plastique résistant.

Le passeport est imprimé
sur un **papier spécial** avec
des hologrammes.

LE ✚ DU Pr COLZA

Les informations mémorisées
dans la puce du passeport sont
cryptées, c'est-à-dire qu'elles ne
peuvent être lues ou décodées
que grâce à une clé numérique,
comme dans la transmission des
numéros bancaires par Internet.

Les contrôles de sécurité

Comment détecte-t-on des objets dangereux lors des contrôles de sécurité ?

On utilise deux appareils : le portique détecte le moindre objet métallique ; et le tunnel rend transparents les bagages. Ainsi, les objets dangereux sont repérés par leurs matériaux ou par leur forme.

❶ portique de sécurité

Le portique détecte tous les objets métalliques.

POUR NE PAS DÉCLENCHER L'ALERTE, IL FAUT RETIRER CLÉS ET PIÈCES DE MONNAIE !

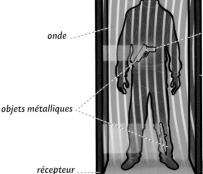

onde

objets métalliques

récepteur

émetteur

❶ Le circuit électronique de l'**émetteur** génère des ondes.

❷ Les **ondes** sont arrêtées par les objets métalliques.

❸ Si un objet métallique traverse le portique, le **récepteur** ne les reçoit donc plus. Le portique signale cette anomalie en sonnant.

❷ tunnel de contrôle des bagages

Il permet de voir à l'écran le contenu des bagages grâce aux rayons X.

❹ Ces images sont comparées avec celles d'un **catalogue** d'objets et de substances suspects.

❸ Selon la composition et la densité des matériaux, les objets apparaissent à l'**écran** avec des couleurs différentes.

❷ L'**ordinateur** reconstitue les images en trois dimensions de tous les objets.

❶ Le **scanner** à rayons X est équipé de quatre caméras qui balayent le bagage. Les angles de vue sont complémentaires.

Les **rayons X** traversent plus facilement les matériaux mous et légers que les matériaux durs et denses. Ils sont arrêtés par les métaux.

EN CAS DE DOUTE, LE POLICIER FAIT PROCÉDER À LA FOUILLE DU BAGAGE.

caméra à rayons X

bagage

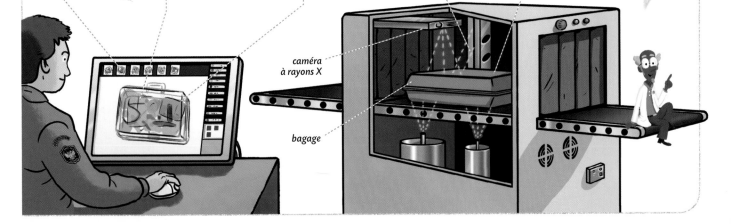

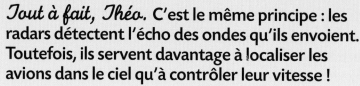

Les radars des aéroports fonctionnent-ils comme les radars routiers, Pr Siphon ?

Tout à fait, Théo. C'est le même principe : les radars détectent l'écho des ondes qu'ils envoient. Toutefois, ils servent davantage à localiser les avions dans le ciel qu'à contrôler leur vitesse !

❸ Grâce à sa forme parabolique, le **réflecteur** envoie les ondes vers une portion du ciel.

❷ Le **cornet** envoie les ondes produites par les circuits électroniques sur le réflecteur.

❶ L'**antenne**, constituée d'un cornet et d'un réflecteur, tourne sur elle-même.

avion détecté

faisceau radar

onde réfléchie par la cible

cornet

réflecteur

❹ Une partie des **ondes** sont réfléchies par la carlingue métallique de l'avion.

Sur l'**écran**, l'écho est identifiable par une trace. Grâce aux repères, on peut évaluer la distance et la taille de l'avion.

❺ Le réflecteur les reçoit. Le cornet les transmet à un **dispositif électronique** qui les transforme en image.

❻ Le temps de l'aller et retour des ondes permet de calculer la **distance** de l'avion.

❼ L'**émetteur RFID** (ou transpondeur) de l'avion transmet en même temps son identification et son altitude.

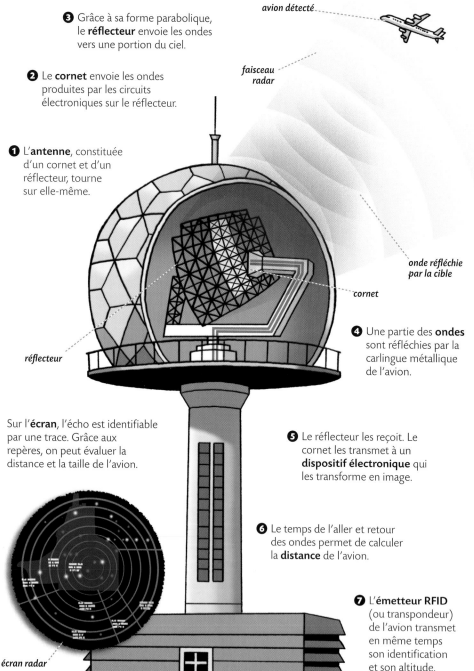

écran radar

LE ➕ DU Pr SIPHON

Désormais, grâce aux étiquettes RFID des avions, on connaît instantanément l'état du trafic. La navigation peut être gérée automatiquement et en toute sécurité.

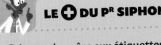

AUTREMENT

En raison de leur carlingue anguleuse et du revêtement de leur surface, les avions militaires furtifs ne renvoient pas les ondes vers le radar qui les émet. Ils ne peuvent pas être détectés.

QUELLE EST LA DIFFÉRENCE ENTRE UN RADAR ET UN SONAR ?

LE PRINCIPE EST LE MÊME, seulement le radar écoute des ondes radio tandis que le sonar écoute des ondes sonores.

C'est un ordinateur qui orchestre tous ces vols, Pᵣ Colza ?

Des ordinateurs, plutôt, car le trafic est international !
Le contrôle de l'espace aérien est divisé en plusieurs
niveaux et régions. Ainsi, chaque avion est guidé au cours
de son vol par des radars et des contrôleurs aériens.

L'aéroport comporte
plusieurs zones : les pistes
de décollage et d'atterrissage,
les zones de manœuvres,
l'aérogare et la tour de contrôle.

Grâce à un **logiciel**,
tous les mouvements
au sol s'affichent
en temps réel
sur un écran.

❸ Au cours du vol,
l'avion est **guidé**
par les centres
régionaux et se
repère grâce à
des **balises radio
terrestres**.

Une **station météo**
indique en permanence
les prévisions du temps,
la force et l'orientation
du vent, la température
de l'air et au sol.

Les **contrôleurs** voient
l'ensemble des pistes
et surveillent tous les
déplacements. Ils sont
informés en permanence
des vols en cours.

❶ L'avion adresse
son **plan de vol** au
centre européen
de contrôle.

❷ Après autorisation,
l'**ordre de décollage**
est donné par la
tour de contrôle.

**SUR LES GRANDS
AÉROPORTS, LES
PISTES DE DÉCOLLAGE
ET D'ATTERRISSAGE
SONT DISTINCTES.**

L'**aérogare** est le lieu de
transit des passagers. Leur
accès est limité dans les
zones d'embarquement
et de débarquement.

Les avions sont **stationnés**
pour l'embarquement et le
débarquement des passagers.

Tous les **véhicules**
sont localisés grâce
au GPS et leurs
zones de circulation
sont délimitées.

❶ À l'approche de l'aéroport,
l'avion est guidé par
le **centre de contrôle
spécialisé**. L'avion descend
et quitte son couloir de vol.

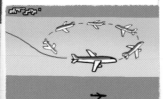

❷ Il est placé dans le **circuit
d'attente**. Comme
les autres avions, il fait
de grandes boucles à
une altitude fixée par
la tour de contrôle.

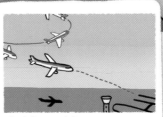

❸ Il descend d'un niveau
au fil des atterrissages.
Au premier niveau,
l'autorisation d'atterrissage
lui est donnée par la
tour de contrôle.

❹ Des **balises** terrestres
informent le pilote par
ondes radio de la distance
à la piste et de l'alignement
de l'avion. Celui-ci atterrit.

L'avion et le planeur

Comment des engins qui pèsent plusieurs centaines de tonnes peuvent-ils voler ?

Grâce à leurs ailes, qui les portent et compensent leur poids. Pour avancer, les avions utilisent un moteur et les planeurs, les courants d'air. Pour tourner, ils modifient leur prise au vent et leur équilibre.

❶ avion à réaction

Ces avions sont propulsés par des turboréacteurs.

> POUR FREINER LORS DE L'ATTERRISSAGE, ON FAIT TOURNER LA TURBINE DU RÉACTEUR À L'ENVERS.

Grâce à leur poussée, les **turboréacteurs** propulsent l'avion.

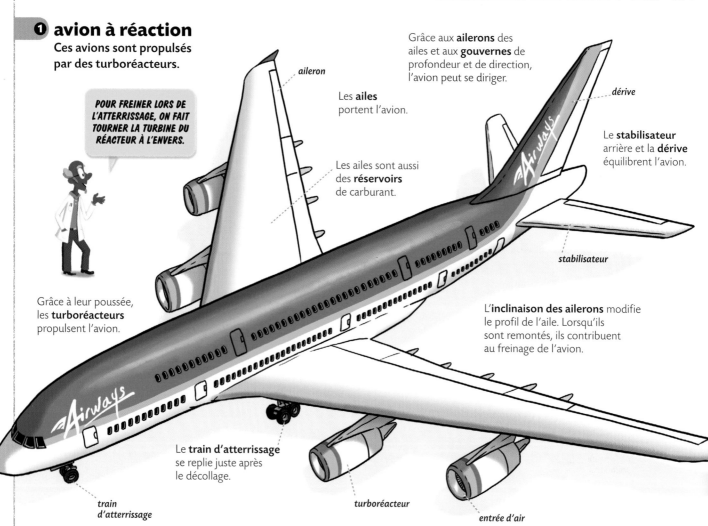

Grâce aux **ailerons** des ailes et aux **gouvernes** de profondeur et de direction, l'avion peut se diriger.

Les **ailes** portent l'avion.

Les ailes sont aussi des **réservoirs** de carburant.

aileron

dérive

Le **stabilisateur** arrière et la **dérive** équilibrent l'avion.

stabilisateur

L'**inclinaison des ailerons** modifie le profil de l'aile. Lorsqu'ils sont remontés, ils contribuent au freinage de l'avion.

Le **train d'atterrissage** se replie juste après le décollage.

train d'atterrissage

turboréacteur

entrée d'air

Le turboréacteur

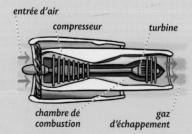

❶ L'air est aspiré par les ailettes de la **turbine** et comprimé par le compresseur. Sa température augmente.

❷ Dans la **chambre de combustion**, l'air comprimé est mélangé avec du kérosène. Ce mélange explosif brûle.

entrée d'air

compresseur

turbine

chambre de combustion

gaz d'échappement

❸ Les gaz produits en grande quantité sont éjectés à grande vitesse ; c'est la **poussée** principale du réacteur.

❹ Une partie de l'air aspiré par la turbine s'ajoute aux **gaz d'échappement**, augmentant ainsi la poussée du réacteur.

En agissant sur les gouvernes, le pilote fait tourner l'avion selon trois axes.

1 L'axe de **lacet** : en appuyant sur les pédales du palonnier, on commande la **gouverne de direction** qui permet de tourner à droite ou à gauche, à l'horizontale.

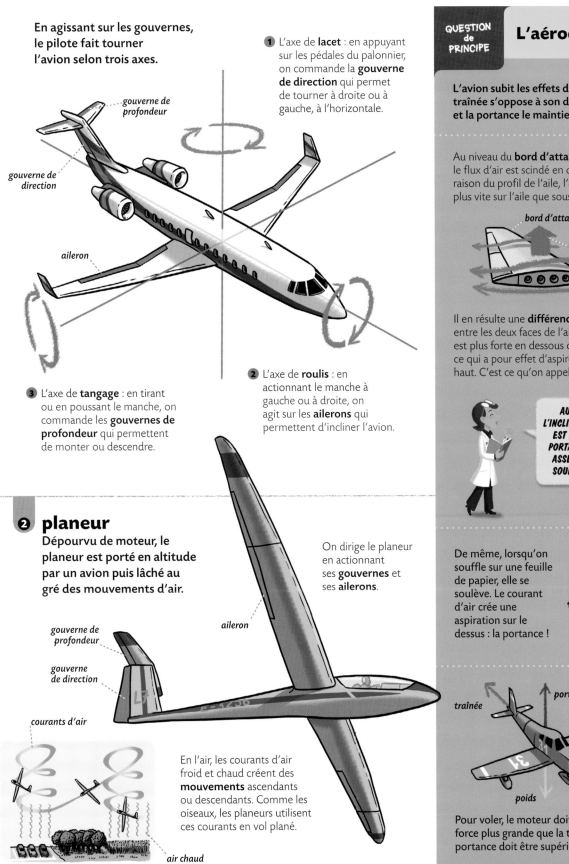

gouverne de profondeur

gouverne de direction

aileron

3 L'axe de **tangage** : en tirant ou en poussant le manche, on commande les **gouvernes de profondeur** qui permettent de monter ou descendre.

2 L'axe de **roulis** : en actionnant le manche à gauche ou à droite, on agit sur les **ailerons** qui permettent d'incliner l'avion.

2 ## planeur

Dépourvu de moteur, le planeur est porté en altitude par un avion puis lâché au gré des mouvements d'air.

On dirige le planeur en actionnant ses **gouvernes** et ses **ailerons**.

aileron

gouverne de profondeur

gouverne de direction

courants d'air

En l'air, les courants d'air froid et chaud créent des **mouvements** ascendants ou descendants. Comme les oiseaux, les planeurs utilisent ces courants en vol plané.

air chaud

QUESTION de PRINCIPE

L'aérodynamique

L'avion subit les effets de l'air : la traînée s'oppose à son déplacement et la portance le maintient en l'air.

Au niveau du **bord d'attaque** de l'aile, le flux d'air est scindé en deux. En raison du profil de l'aile, l'air circule plus vite sur l'aile que sous l'aile.

bord d'attaque

portance

flux d'air

Il en résulte une **différence de pression** entre les deux faces de l'aile : la pression est plus forte en dessous qu'au-dessus, ce qui a pour effet d'aspirer l'aile vers le haut. C'est ce qu'on appelle la **portance**.

AU DÉCOLLAGE, L'INCLINAISON DE L'AILE EST MAXIMALE : LA PORTANCE DOIT ÊTRE ASSEZ FORTE POUR SOULEVER L'AVION.

De même, lorsqu'on souffle sur une feuille de papier, elle se soulève. Le courant d'air crée une aspiration sur le dessus : la portance !

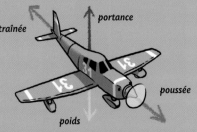

traînée

portance

poussée

poids

Pour voler, le moteur doit produire une force plus grande que la traînée et la portance doit être supérieure au poids.

À quoi servent tous les cadrans et boutons du cockpit, Pr Colza ?

Ce sont des systèmes de visualisation électronique !
Les instruments sont en double pour que le pilote
et le copilote aient toutes les informations du vol
et puissent piloter l'avion conjointement.

L'ordinateur
de vol assiste les pilotes.
Il calcule et contrôle la
vitesse, la consommation
et le suivi du plan de vol.

Le **panneau supérieur** est
constitué des différents
blocs de commande :
allumage des phares,
pressurisation de la cabine...

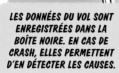

LES DONNÉES DU VOL SONT
ENREGISTRÉES DANS LA
BOÎTE NOIRE. EN CAS DE
CRASH, ELLES PERMETTENT
D'EN DÉTECTER LES CAUSES.

La vitesse, le cap et l'altitude sont
contrôlés par le **pilote automatique**.

manche

Le **pylône central**
porte les manettes de
commande des gaz
et des aérofreins.

L'**écran technique**
indique le
niveau d'huile, la
consommation
de kérosène...

écran de vol

vitesse   *altimètre*

ligne d'horizon

Sur l'**écran de vol**, le
pilote repère la vitesse
de son avion, situe son
altitude et sa direction.

écran de navigation

avion en approche

turbulence   *position de l'avion*

Sur l'**écran radar de
navigation**, sont visualisés les
avions proches, les aéroports,
les masses nuageuses.

écran de contrôle des moteurs

L'**écran de contrôle** indique
le régime de chaque moteur
et sa température.

ordinateur de vol

Le pilote entre dans
l'**ordinateur** les données du
vol. Celui-ci calcule et contrôle
la vitesse, la consommation
et le suivi du plan de vol.

Le siège éjectable

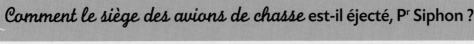

Il est mis à feu **comme un canon ! En moins de deux secondes, il expulse le pilote de l'avion et déclenche l'ouverture du parachute. Il fournit l'oxygène et un kit de survie pour l'atterrissage.**

L'éjection doit projeter le pilote hors de la trajectoire de l'avion mais avec une accélération supportable pour le corps.

Le siège est fixé sur un **tube télescopique** qui lui sert de guide.

La mise à feu de la cartouche principale du **canon d'éjection** provoque la mise à feu des cartouches auxiliaires.

Le dossier contient le **parachute** principal.

Le **masque** apporte l'oxygène nécessaire à cette très haute altitude.

Les **sangles** bloquent le pilote sur le siège baquet.

Grâce à sa **combinaison anti-G**, le pilote peut supporter la terrible accélération de l'éjection.

levier de commande manuelle

poignée de déclenchement

Le **système de rappel** des jambes ramène les chevilles du pilote vers l'arrière.

> LA COMBINAISON ANTI-G COMPRIME LES MUSCLES DU BAS DU CORPS, EMPÊCHANT LE SANG DE DESCENDRE.

petit parachute

parachute principal

❶ Le pilote tire sur la poignée. Le gaz d'une cartouche actionne un vérin qui tend la sangle du siège. La verrière est larguée, le système d'**éjection** déclenché.

❸ 0,5 s : un **petit parachute** stabilise les mouvements du siège et commence à freiner la chute du pilote.

❹ 1,5 s : le harnais du siège se déverrouille, libérant le pilote. Le **parachute principal** s'ouvre. Le pilote se dirige grâce aux manettes.

dérive

verrière

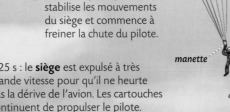

❷ 0,25 s : le **siège** est expulsé à très grande vitesse pour qu'il ne heurte pas la dérive de l'avion. Les cartouches continuent de propulser le pilote.

manette

kit de survie

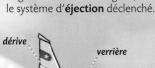

La montgolfière et le dirigeable

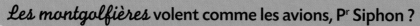

Les montgolfières volent comme les avions, Pr Siphon ?

Eh non, Théo ! Contrairement aux avions, les ballons sont plus légers que l'air : ils flottent car ils subissent une poussée dirigée de bas en haut, égale au poids du volume d'air déplacé. C'est la poussée d'Archimède !

❶ montgolfière

Dans l'enveloppe, on chauffe l'air, qui devient plus léger que l'air extérieur. La montgolfière s'élève dans le ciel.

Le **brûleur** chauffe l'air de l'enveloppe au début de l'ascension et dès qu'on a besoin de monter.

poussée d'Archimède

soupape

L'**enveloppe** est en tissu.

La **nacelle** transporte les passagers et le gaz : du propane liquide stocké dans des bouteilles.

La **commande** permet d'ouvrir la soupape.

brûleur

bouteille de gaz

poids

❶ La **soupape** est fermée : l'air chaud permet à la montgolfière de **monter**. La poussée est supérieure au poids.

❷ La soupape est ouverte : l'air se refroidit ; le poids augmente. S'il est égal à la poussée : le ballon est **en équilibre**.

❸ Si le poids est supérieur à la poussée, le ballon **descend**.

❷ dirigeable

Il navigue grâce à des hélices et des poches d'air. Son enveloppe est remplie d'hélium, un gaz plus léger que l'air.

Le volume d'air des **ballonnets** est réglable.

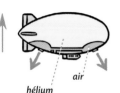

air

hélium

Lorsqu'on vide les ballonnets, le poids diminue. Le dirigeable monte.

Lorsqu'on les remplit d'air, le dirigeable descend.

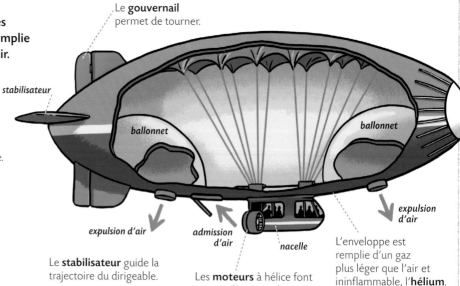

Le **gouvernail** permet de tourner.

stabilisateur

ballonnet

ballonnet

expulsion d'air

expulsion d'air

admission d'air

nacelle

expulsion d'air

Le **stabilisateur** guide la trajectoire du dirigeable.

Les **moteurs** à hélice font avancer l'engin volant.

L'enveloppe est remplie d'un gaz plus léger que l'air et ininflammable, l'**hélium**.

L'hélicoptère

> *Pourquoi l'hélicoptère* doit-il s'incliner pour avancer, Pr Colza ?

> *Excellente question, Julia !* Toutes les manœuvres dépendent de l'inclinaison des pales. Pour avancer, il faut les incliner d'une certaine façon. Cela a pour effet de faire pencher l'hélicoptère.

Le pilote modifie **l'inclinaison des pales** du rotor pour diriger l'engin. Ce sont les **plateaux cycliques** qui modifient l'angle des pales : le plateau supérieur se soulève ou s'abaisse, l'inférieur s'incline.

- levier
- moyeu
- pale
- plateau cyclique supérieur
- roulement à billes
- plateau cyclique inférieur

Les pales sont bombées comme des ailes d'avion. Lorsqu'elles tournent, le mouvement de l'air crée une aspiration vers le haut : la **portance**.

- flux d'air
- portance
- L'inclinaison des pales augmente la portance.

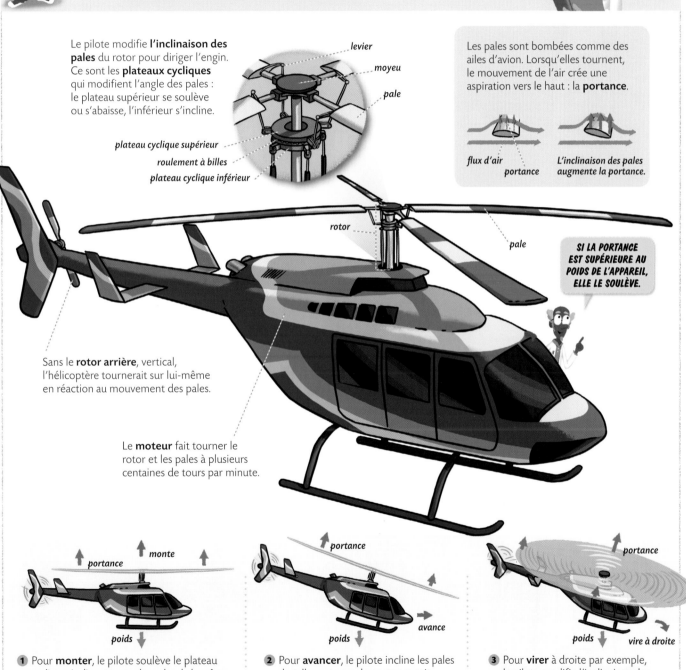

- rotor
- pale

SI LA PORTANCE EST SUPÉRIEURE AU POIDS DE L'APPAREIL, ELLE LE SOULÈVE.

Sans le **rotor arrière**, vertical, l'hélicoptère tournerait sur lui-même en réaction au mouvement des pales.

Le **moteur** fait tourner le rotor et les pales à plusieurs centaines de tours par minute.

portance — monte — poids

portance — avance — poids

portance — vire à droite — poids

1 Pour **monter**, le pilote soulève le plateau cyclique, inclinant toutes les pales de la même façon. La portance augmente, l'hélicoptère s'élève. Pour **descendre**, il abaisse le plateau.

2 Pour **avancer**, le pilote incline les pales de telle sorte que la portance soit plus forte à l'arrière qu'à l'avant. Du même coup, l'hélicoptère s'incline.

3 Pour **virer** à droite par exemple, le pilote modifie l'inclinaison des pales de façon que la portance soit plus forte à gauche.

La fusée

Pourquoi certains éléments de la fusée sont-ils libérés lors du lancement ?

Tout simplement parce qu'ainsi, la fusée est peu à peu débarrassée des étages devenus inutiles une fois leurs réservoirs vidés. Allégée, elle peut alors augmenter sa vitesse pour atteindre l'altitude de largage des satellites.

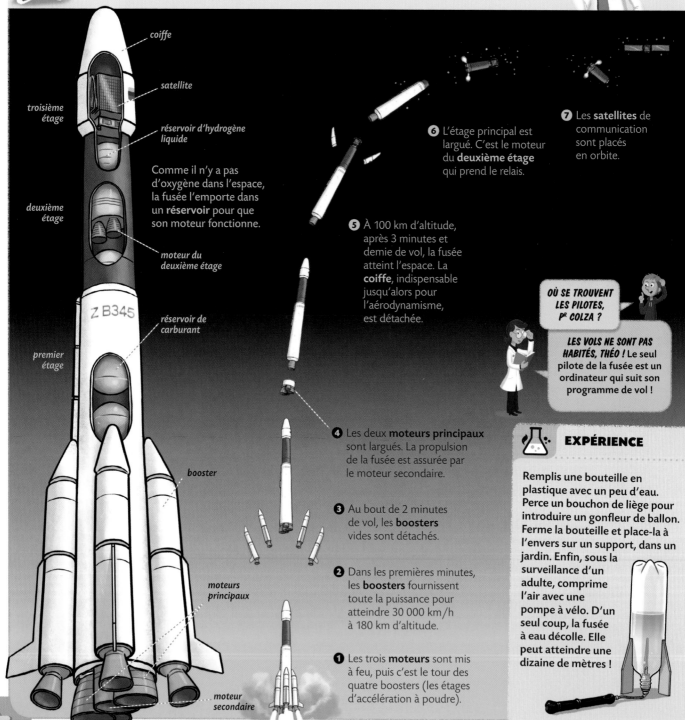

coiffe

satellite

troisième étage

réservoir d'hydrogène liquide

Comme il n'y a pas d'oxygène dans l'espace, la fusée l'emporte dans un **réservoir** pour que son moteur fonctionne.

deuxième étage

moteur du deuxième étage

Z B345

réservoir de carburant

premier étage

booster

moteurs principaux

moteur secondaire

6 L'étage principal est largué. C'est le moteur du **deuxième étage** qui prend le relais.

7 Les **satellites** de communication sont placés en orbite.

5 À 100 km d'altitude, après 3 minutes et demie de vol, la fusée atteint l'espace. La **coiffe**, indispensable jusqu'alors pour l'aérodynamisme, est détachée.

OÙ SE TROUVENT LES PILOTES, Pr COLZA ?

LES VOLS NE SONT PAS HABITÉS, THÉO ! Le seul pilote de la fusée est un ordinateur qui suit son programme de vol !

4 Les deux **moteurs principaux** sont largués. La propulsion de la fusée est assurée par le moteur secondaire.

3 Au bout de 2 minutes de vol, les **boosters** vides sont détachés.

2 Dans les premières minutes, les **boosters** fournissent toute la puissance pour atteindre 30 000 km/h à 180 km d'altitude.

1 Les trois **moteurs** sont mis à feu, puis c'est le tour des quatre boosters (les étages d'accélération à poudre).

EXPÉRIENCE

Remplis une bouteille en plastique avec un peu d'eau. Perce un bouchon de liège pour introduire un gonfleur de ballon. Ferme la bouteille et place-la à l'envers sur un support, dans un jardin. Enfin, sous la surveillance d'un adulte, comprime l'air avec une pompe à vélo. D'un seul coup, la fusée à eau décolle. Elle peut atteindre une dizaine de mètres !

Une navette spatiale, c'est un avion ou une fusée, Pᶜ Colza ?

Les deux, Théo ! À l'aller, la navette est propulsée comme une fusée, mais au retour, elle s'apparente plutôt à un planeur : ses ailes orientables lui permettent de revenir sur la Terre.

Le SpaceShipOne a été conçu pour le tourisme spatial : ses passagers passent quelques instants au-delà de l'atmosphère. Il ne s'agit pas de faire un long voyage dans l'espace !

Les ailes de l'avion sont articulées. Elles peuvent être horizontales ou verticales.

Comme dans un avion, le pilote actionne les leviers de commande des **ailerons**.

Le **moteur-fusée** utilise un carburant solide à l'aspect de caoutchouc et un gaz.

Lors de la mise à feu, une **réaction chimique** produit une grande quantité de gaz qui propulse le vaisseau.

La **cabine** comporte trois places : une pour le pilote et deux pour les passagers.

cabine

réservoir du moteur-fusée

navette

avion porteur

❸ Il atteint plus de 100 km d'altitude et pénètre dans l'espace. Il engage alors sa descente selon la **trajectoire programmée**.

❹ Avant l'entrée dans l'atmosphère, à 80 km, les **ailes pivotent** à la verticale afin de freiner le vaisseau et de l'orienter convenablement.

❶ Fixé sous un **avion porteur**, le vaisseau est largué à 16 kilomètres d'altitude. Son envol commence.

❷ Grâce au **moteur-fusée**, le vaisseau grimpe à la verticale à 3 500 km/h. À 50 km d'altitude, il poursuit son vol, moteur arrêté.

❺ À une altitude de 20 km, les ailes sont ramenées à l'horizontale. Le **vaisseau plane** pendant sa descente avant d'atterrir sur la piste.

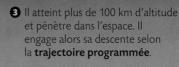

Accéléromètre

Un accéléromètre est un capteur qui détecte les mouvements de translation. On en trouve dans les manettes Wii ou les robots, par exemple. Couplé avec un gyroscope électronique, il permet de contrôler tous les mouvements d'un objet.

Aimant

Un aimant a un pôle nord et un pôle sud. Grâce aux propriétés de son matériau, il crée un champ magnétique autour de lui qui attire tout objet contenant du fer. L'action à distance sur les électrons des fils électriques génère des effets électromagnétiques.

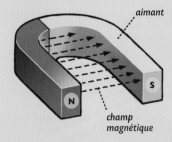

aimant

champ
magnétique

Alternateur

Machine rotative qui transforme l'énergie mécanique en énergie électrique. La dynamo d'un vélo, par exemple, est un alternateur.

Amplificateur

En électronique, système qui augmente la puissance d'un signal électrique, par exemple d'un son.

Analogique

Moyen d'enregistrer ou de transférer des sons ou des images sous forme d'un signal qui varie constamment, à la différence du numérique. Les appareils électroniques utilisent des convertisseurs analogique-numérique ou numérique-analogique.

Antenne

Dispositif permettant l'émission ou la réception des ondes électromagnétiques. Miniaturisées, les antennes sont intégrées dans les boîtiers des téléphones portables ou des box.

ASCII

C'est le code utilisé par tous les ordinateurs pour interpréter les lettres, les chiffres et les commandes du clavier. Le Z majuscule correspond à 90 et le z minuscule à 122.

Atome

Un atome est constitué d'un nuage d'électrons qui tournent autour du noyau composé de neutrons et de protons eux-mêmes formés de plus petites particules.

Ballast

Le ballast est un lest utilisé pour l'équilibre et la stabilité des montgolfières. Dans les sous-marins, c'est un volume que l'on remplit d'eau de mer ou que l'on vide pour modifier la flottaison.

Batterie

Une batterie est composée d'une série d'accumulateurs. Chacun a deux électrodes (un pôle négatif et un pôle positif) plongées dans un électrolyte (une solution saline ou acide). Grâce à des réactions chimiques, l'accumulateur produit de l'électricité et peut être rechargé.

❶ Les ions (atomes de lithium ayant perdu un électron) circulent dans l'électrolyte entre les deux électrodes : le courant alimente l'ordinateur. Les réactions chimiques entraînent la modification des matériaux des deux électrodes. L'accumulateur se décharge.

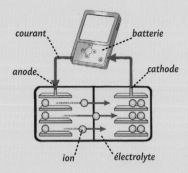

courant   batterie

anode

cathode

ion   électrolyte

❷ Le chargeur est branché. Le courant qui circule rétablit l'état initial des électrodes et de l'électrolyte. L'accumulateur se recharge.

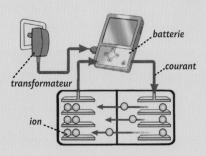

batterie

courant

transformateur

ion

Bielle-manivelle

Ensemble de deux pièces mécaniques qui transforme un mouvement alternatif en un mouvement de rotation ou inversement. Grâce à ce mécanisme, les mouvements des pistons d'un moteur font tourner le vilebrequin puis les roues.

Binaire (calcul)

Les nombres décimaux peuvent s'écrire en binaire grâce à une conversion dans un tableau dont chaque colonne vaut 1, 2, 4, 8, 16, 32, 64, 128... Ainsi, 5 = 4 + 1 s'écrit 0101 ; 7 s'écrit 0111 ; 6 s'écrit 0110.

Le microprocesseur d'un ordinateur ne connaît que les nombres binaires. Pour additionner 7 et 6, par exemple, il commence par convertir ces chiffres en nombres binaires : une suite de 0 et de 1.

| en binaire | | | | en décimal |
8	4	2	1	
0	1	0	1	↔ **5**
1	1	0	0	↔ **12**
0	1	1	1	↔ **7**
0	1	1	0	↔ **6**

Ensuite, il additionne les deux premiers chiffres de la colonne de droite : 0 et 1. Ces deux états électriques activent les entrées d'un ensemble de transistors. Un signal électrique correspond au résultat 1 + 0 = 1.

De la même façon, il additionne les chiffres de la deuxième colonne : 1 + 1. Le résultat est 0 et il y a une retenue de 1.

Puis il additionne les chiffres de la colonne suivante. 1 + 1 + 1 de retenue. Soit 1 avec une nouvelle retenue de 1.

Enfin, il additionne les chiffres de la dernière colonne. 0 + 0 + 1 =1. Le résultat est : 1101, c'est-à-dire 13, qui correspond bien, en décimal, à la somme de 6 + 7.

Bit (voir octet)
Contraction de l'anglais « binary digit » ou chiffre binaire. Un bit, c'est 0 ou 1. Un octet est une suite de 8 bits.

Bluetooth
Technologie qui permet les connexions sans fil à courte distance et la transmission de données par ondes entre différents appareils numériques.

Capteur
Composant mécanique ou électronique qui détecte des modifications de pression, de température, de rayonnement... et les traduit en signaux électriques.

Cellule photoélectrique
Capteur sensible à la lumière capable de commander un équipement automatique.

Cellule photovoltaïque
Composant électronique qui produit de l'électricité en transformant l'énergie lumineuse en énergie électrique.

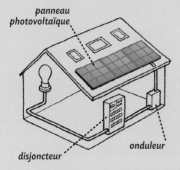

panneau photovoltaïque

disjoncteur

onduleur

Centrifuge (effet ou force)
La force ou effet centrifuge tend à éloigner les objets qui tournent de leur centre de rotation. La force centripète s'oppose à l'effet de la force centrifuge.

Chaleur
Mode de transfert de l'énergie thermique déterminant les changements de température des objets. Le transfert de chaleur s'effectue toujours du plus chaud vers le plus froid.

Champ magnétique
Zone autour d'un aimant dans laquelle la force magnétique est constante.

Charge électrique
Un atome est électriquement neutre. Il devient chargé s'il perd ou gagne des électrons.

Circuit électrique
C'est une chaîne ininterrompue de conducteurs.

Circuit intégré
Ce composant électronique miniaturisé, également appelé puce, porte sur une très petite surface des milliers de composants électroniques élémentaires.

Combustible
Lorsqu'elle brûle, cette substance produit de l'énergie thermique (gaz, pétrole, bois...).

Conduction
Dans un matériau conducteur, les électrons se déplacent assez librement. Dans une solution liquide, ce sont des ions. Cela correspond au courant électrique. La conduction est aussi un mode de propagation de la chaleur qui s'effectue de proche en proche sans transport de matière grâce à l'agitation moléculaire.

Convection
Le transfert de chaleur par convection s'accompagne de mouvements de l'eau ou de l'air. Par exemple, l'eau qui chauffe dans une casserole monte alors que l'eau froide descend.

Couleur
L'addition des trois lumières colorées rouge, verte et bleue donne la lumière blanche. C'est la synthèse additive.
En peinture ou en imprimerie, les couleurs sont obtenues grâce à des pigments colorés. Les mélanges de cyan, magenta et jaune donnent l'ensemble des couleurs. C'est la synthèse soustractive.

Courant électrique
Mouvement d'ensemble des électrons dans un métal conducteur ou des ions dans une solution.

Cristaux liquides
Matériaux dont les éléments changent de direction en présence d'un courant électrique. Dans les écrans, ils laissent passer ou non la lumière.

Digital (voir numérique)

Diode électroluminescente
(ou LED)
Composant électronique qui produit de la lumière.

Doppler (effet)

Il est perçu par exemple lors du passage d'un véhicule. Lorsqu'il se rapproche, le son devient plus aigu ; lorsqu'il s'éloigne, le son devient plus grave. La mesure de la différence de ces fréquences permet de calculer la vitesse du véhicule.

Dynamo (voir alternateur)

Électro-aimant

Il est constitué d'un bobinage de fils électriques autour de pièces métalliques. Lorsqu'il est branché, il devient un aimant et produit une force électromagnétique (moteur) ou un champ magnétique (imagerie médicale).

Électron

Particule constitutive de l'atome, portant une charge électrique négative élémentaire.

Énergie

L'énergie se conserve. Elle ne se crée ni se détruit ; elle se transforme (l'énergie mécanique en énergie électrique par exemple).

Énergies renouvelables

Contrairement aux énergies fossiles (gaz naturel ou pétrole) dont les réserves diminuent, les énergies renouvelables utilisent des ressources naturelles considérées comme inépuisables : vent, soleil, marées, chutes d'eau, terre, chaleur de la terre... Elles n'engendrent pas ou peu de déchets ou d'émissions polluantes. La biomasse (biocarburants, biogaz) est une source d'énergie renouvelable car elle est renouvelée à l'échelle d'une vie humaine.

Engrenage

Ensemble de roues dentées qui transmettent et transforment un mouvement.

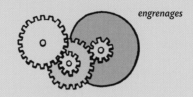

engrenages

Fibre optique

Fil très fin en verre ou en matière plastique utilisé pour conduire la lumière et les données numériques.

Fluorescence

C'est une émission de lumière visible à partir d'une lumière invisible comme les ultraviolets.

Fréquence

Caractéristique des ondes électromagnétiques ou sonores. C'est le nombre de vibrations par seconde.

Générateur

Un générateur produit de l'énergie électrique à partir d'une autre forme d'énergie (mécanique, chimique...). Une pile, un accumulateur (ou batterie), un panneau photovoltaïque, un alternateur sont des générateurs électriques.

Gravitation

C'est une force qui régit les mouvements dans tout l'univers. Elle nous maintient au sol, garde la Lune en orbite autour de la Terre et la Terre en orbite autour du Soleil.

Gyroscope électronique

Un gyroscope électronique est un capteur qui détecte les mouvements de rotation (roulis, lacet, tangage) des avions, des robots...

Gyroscopique (effet)

Une toupie, un diabolo, un yoyo, un frisbee... tiennent en équilibre lorsqu'ils tournent vite grâce à l'effet gyroscopique.

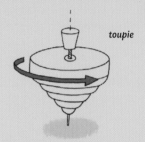

toupie

Horloge

Composant d'un ordinateur qui cadence le travail du microprocesseur.

Hydraulique

Concerne les machines ou les dispositifs qui utilisent l'eau ou un liquide. Un barrage est une centrale électrique hydraulique. Un moulin à eau est une machine hydraulique. Les vérins hydrauliques sont généralement actionnés par de l'huile sous pression.

Induction

Un champ magnétique variable, comme un aimant qui tourne ou un électroaimant, produit un courant électrique dans tout matériau conducteur à proximité. C'est l'induction électromagnétique, utilisée par exemple dans les chargeurs sans contact des brosses à dents électriques.

Inertie

L'inertie est la propriété d'un objet de conserver sa vitesse ou de rester immobile si aucune force externe ne s'y applique.

Infrarouge

Lumière invisible utilisée dans les capteurs optiques, les télécommandes et le chauffage.

Isolant

Matériau dont la structure limite la conduction de l'électricité ou de la chaleur. L'air est le meilleur des isolants thermiques.

Laser

Un laser (« light amplification by stimulated emission of radiation ») émet une lumière cohérente et d'une seule couleur. Il est utilisé entre autres pour lire ou graver les CD.

Lentille

Élément en verre ou en matière plastique, dont au moins l'une des faces n'est pas plane afin de faire converger ou diverger la lumière.

Levier

Mécanisme amplifiant la force ou le mouvement. Il en existe trois types distincts selon la position du point d'appui, de la force et de la résistance.

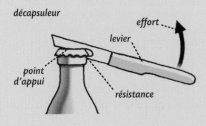

décapsuleur

effort

levier

point d'appui

résistance

Lumière

La lumière est une onde électromagnétique. Il existe de la lumière visible et de la lumière invisible comme les infrarouges ou les ultraviolets. La lumière peut être chaude (soleil, lampe à incandescence) ou froide (tube fluorescent, luciole).

Luminescence

À la différence de l'incandescence (la lumière produite par une bougie ou un filament chauffé), la luminescence est l'émission de lumière « froide ». Les lucioles produisent de la lumière grâce à des réactions chimiques ; les diodes électroluminescentes, grâce à des phénomènes électroniques.

Magnus (effet)

Ce phénomène aérodynamique à l'origine des trajectoires des ballons est aussi utilisé pour la propulsion des bateaux dont la voilure est constituée de cylindres. Lorsque le vent souffle sur le cylindre en rotation, l'air est aspiré et accéléré sur la partie avant du cylindre et ralenti sur la partie arrière. Les surpressions et dépressions qui en résultent permettent au bateau d'avancer.

Matière

Tous les solides, les gaz, les liquides... sont constitués d'atomes qui sont les briques élémentaires de la matière. Selon leurs agencements et leurs liaisons, la matière a des formes et des propriétés différentes.

Microphone

Composant électronique qui transforme un son en un signal électrique.

Microprocesseur

Composant essentiel ou « cerveau » d'un ordinateur et de tout automatisme.

Molécule

Une molécule est un assemblage d'atomes identiques ou différents. Un atome d'oxygène et deux atomes d'hydrogène partagent leurs électrons et forment une molécule d'eau. Le sucre est un assemblage d'atomes de carbone, d'hydrogène et d'oxygène. Les matières plastiques sont des chaînes de plusieurs dizaines, voire de centaines de molécules, des macromolécules.

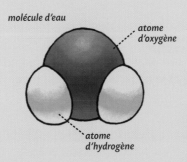

molécule d'eau

atome d'oxygène

atome d'hydrogène

Moteur

Un moteur électrique transforme l'énergie électrique en énergie mécanique. Un moteur thermique (à essence, à fuel) transforme l'énergie de la combustion du carburant en énergie mécanique.

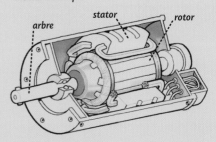

moteur électrique

stator

arbre

rotor

Nanotechnologie

Les nanotechnologies concernent les composants comme les nanotubes ou les nanofils, dont la taille avoisine le nanomètre (nm), c'est-à-dire de l'ordre du milliardième de mètre.

Neutron

Particule sans charge électrique. Les neutrons et les protons forment le noyau des atomes.

Nombre binaire

Nombre écrit en base 2 ; c'est une série de 0 et de 1. Comme un ordinateur ne sait faire que des opérations sur des nombres binaires, tous les nombres en base 10 sont convertis en base 2. Ainsi, 99 s'écrit 01100011.

Numérique (voir analogique)

Signal composé de deux états codés par 0 ou 1.

Numérisation

Moyen de stockage ou de transmission des données sous forme de nombres codés seulement avec des 0 et des 1.

Octet

Unité de mesure de la quantité de données en informatique. Un octet est composé de 8 bits (0 ou 1). 1 Ko = 1024 octets ; 1 Mo = 1024 Ko ; 1 Go = 1024 Mo.

Ondes électromagnétiques

Vibrations émises naturellement ou produites artificiellement par un oscillateur et qui se propagent sans support matériel.

Ondes sonores

Vibrations qui se propagent grâce à l'air. Ces ondes mécaniques sont analogues aux vaguelettes produites par le jet d'une pierre dans l'eau.

Phosphorescent

Une matière phosphorescente continue à émettre de la lumière après avoir été éclairée.

Photon

Particule élémentaire de lumière, sans masse, transportant de l'énergie.

Piézoélectricité

Propriété de certains corps à réagir électriquement sous une action mécanique et réciproquement à se déformer quand ils sont électrisés. L'étincelle d'un briquet ou d'un allume-gaz résulte d'un choc sur un matériau qui produit une tension électrique. Inversement, une tension électrique appliquée sur un cristal de quartz engendre des déformations. Ces vibrations régulières deviennent la base de temps des montres ou horloges.

Pignon

Une roue dentée est un pignon.

Pile

Générateur d'électricité à partir d'énergie chimique.

Piston

Pièce métallique qui coulisse dans un cylindre.

Pixel

Plus petit élément d'une image numérique correspondant à un point de lumière avec sa composition de rouge, de vert et de bleu.

Portance

Cet effet de l'air sur une aile en mouvement crée une surpression en dessous et une dépression au-dessus. L'aile est ainsi aspirée vers le haut.

Poussée d'Archimède

Poussée subie par tout objet plongé dans l'eau ou dans l'air.

Pression

La pression est la force exercée par l'air, par l'eau, par une personne... sur une surface.

Prisme

Un prisme décompose la lumière blanche en lumières colorées de l'arc-en-ciel. Un prisme renvoie la lumière en changeant son orientation.

Programme informatique

Série des actions ordonnées logiquement pour le traitement des données.

Proton

Particule du noyau de l'atome, chargée positivement, de valeur équivalente à la charge négative de l'électron.

Puce

On appelle puce tout composant électronique miniature qui a de nombreuses pattes. Un microprocesseur est une puce.

Quartz

Ce composant essentiel des montres ou des horloges est un cristal naturel ou artificiel qui, sous l'effet d'un champ électrique, vibre régulièrement.

Radar

Dispositif permettant de détecter tous les objets dans l'espace aérien. Système de mesure et de contrôle de la vitesse des voitures.

Rayonnement

Le rayonnement est l'un des trois modes de transfert de la chaleur, avec la conduction et la convection.

Rayons X

Rayonnement électromagnétique utilisé pour photographier et contrôler l'intérieur du corps, des bagages...

radiographie des dents

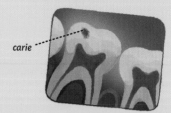

carie

Résistance

Constituée d'un matériau qui résiste au passage du courant, une résistance électrique transforme l'énergie électrique en énergie thermique.

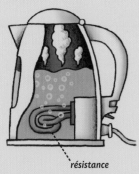

bouilloire

résistance

RFID

Radio Fréquence Identification. Moyen de lecture à distance des informations mémorisées dans la puce d'une carte ou d'une étiquette ne comportant pas de pile électrique.

Rotor

Dans un moteur électrique, le rotor est la partie mobile qui tourne par rapport à la partie fixe, le stator. Le rotor est aussi la voilure des hélicoptères.

Semi-conducteur

Matériau fabriqué à partir de silicium et dont les caractéristiques lui permettent d'être conducteur ou isolant électrique. Les LED, les cellules photoélectriques ou photovoltaïques, les transistors utilisent ces matériaux.

Signal électrique

Un signal électrique correspond à une variation dans le temps de la tension ou de l'intensité d'un courant électrique. Enfoncer une touche d'une calculatrice entraîne un signal (une impulsion) électrique ; parler dans un micro génère également des signaux électriques.

Silicium

Présent dans le sable, cet élément chimique est le constituant essentiel du verre et de la plupart des composants électroniques, semi-conducteurs.

Sonar

Dispositif analogue au radar mais utilisant les ondes sonores. La mesure de l'écho des sons émis permet de sonder les fonds marins mais aussi de voir à l'intérieur du corps grâce à l'échographie.

Stator

C'est la partie fixe d'un moteur électrique.

Thermostat

Grâce au thermostat, la température à l'intérieur d'un four ou d'un réfrigérateur, celle de l'eau d'un ballon ou d'une chaudière reste constante. Le liquide contenu dans l'ampoule et le tube capillaire se dilate lorsqu'il chauffe. Il exerce une pression sur le contacteur électrique qui arrête le chauffage. Lorsqu'il refroidit, il se contracte et rétablit le contact. Marche, arrêt, marche, arrêt... la température reste constante.

Traînée

Tout objet en mouvement dans l'air ou dans l'eau rencontre cette résistance due au frottement du fluide.

Transformateur

Un transformateur est constitué de bobinages de fils qui modifient les caractéristiques du courant électrique. Dans un chargeur d'appareil électronique, le courant de 230 V est transformé en 12 V.

Transistor

Composant électronique élémentaire à la base de l'électronique numérique et de l'informatique.

Turbine

L'eau, la vapeur d'eau, les gaz de combustion... font tourner les ailettes de la turbine dont l'arbre entraîne un alternateur.

Ultrason

Son non perçu par l'oreille humaine qui se propage facilement dans l'eau ou les milieux humides comme les tissus des organes.

Ultraviolet

Lumière non visible utilisée dans les lampes fluocompactes ainsi que dans les détecteurs de faux billets.

Vapeur

État gazeux d'un corps comme l'eau, le mercure, le sodium... La vapeur d'eau est invisible. Le brouillard visible au-dessus d'une casserole d'eau est de la vapeur d'eau condensée : des fines gouttelettes d'eau.

Vis d'Archimède

Elle est utilisée pour pomper des liquides ou déplacer des grains ou des poudres.

Vis sans fin

Associée à un pignon, elle constitue un engrenage.

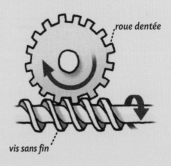

roue dentée

vis sans fin

Wifi

Technologie de transmission de données informatiques sans fil et moyen d'accès à Internet.

LEXIQUE

CRÉDITS ILLUSTRATEURS

Didier Balicevic
Fiches 1, 8, 14, 16, 17, 18, 23, 24, 27, 41, 42, 49, 50, 51, 52, 53, 54, 55, 66, 67, 68, 71, 74, 84, 85, 86, 87, 88, 91, 92, 94, 95, 96, 97, 102, 103, 104, 105, 107, 113, 114.
Dessins des 4 personnages
(Pr Colza, Pr Siphon, Julia et Théo)

Grégory Blot
Fiches 7, 15, 22, 26, 33, 39, 40, 47, 48, 59, 60, 63, 64, 65, 98, 99, 108, 109, 117, 118.

Buster Bone
Fiches 28, 30, 58, 61, 69, 72, 73, 77, 79, 81, 100, 101, 110, 111.

Jazzi
Fiches 2, 3, 6, 9, 10, 13, 19, 29, 31, 32, 34, 36, 70, 75, 76, 78, 82, 83, 93, 106, 112, 115, 116.

Bruno Liance
Fiches 4, 5, 11, 12, 20, 21, 25, 35, 36, 37, 38, 43, 44, 45, 46, 56, 57, 61, 62, 80, 89, 90.

Tino
Pictos (chapitres, rubriques)

REMERCIEMENTS

——— À **DYSON** pour sa contribution à la fiche aspirateur (aspirateur à cyclones)

À **HP FRANCE** pour sa contribution à la fiche ordinateur (portable Touchsmart à écran tactile)

À **PROMETHEAN** pour sa contribution à la fiche tableau blanc interactif

À **ALSTOM** pour sa contribution à la fiche train (AGV)

À **ALDEBARAN ROBOTICS** pour sa contribution à la fiche robot (robot compagnon Nao).

Merci à **TRISTAN LEBEAUME** pour ses recherches documentaires et ses relectures

Merci à **JULIEN AUGUET** d'avoir posé pour les photos présentant la réalité augmentée

CRÉDITS POUR LES VIDÉOS DES ANIMATIONS EN RÉALITÉ AUGMENTÉE

Domotique **1** : © Promotelec, www.promotelec.com

TBI **62** : © Promethean SAS, www.promethean.fr

Robot trayeur **90** : © Delaval, www.delavalfrance.fr

Navette spatiale **118** : © Virgin Galactic « Let the Journey begin » www.virgingalactic.com

Loi n° 49.956 du 16 juillet 1949 sur les publications destinées à la jeunesse modifiée par la loi n° 2011-525 du 17 mai 2011.
N° d'éditeur : 10212645
Dépôt légal : mars 2014
Imprimé en janvier 2015 par Loire OffsetTitoulet (42900 Saint-Etienne, France)